# LE JUGEMENT
# DU GUERRIER

Collection dirigée par Brigitte Ventrillon
Traduit de l'anglais par : Emmanuelle Lavabre
Participation à l'ouvrage : Dominique Montembault
Mise en pages : Studio Michel Pluvinage

# Brian Jacques

## SOLARIS

### TOME 3

# LE JUGEMENT
# DU GUERRIER

**MANGO** POCHE

## Résumé des tomes 1 et 2

*Solaris le blaireau voue une haine féroce à Sigrif le Vicieux, seigneur de la guerre, qui l'a maintenu en esclavage pendant toute son enfance. De même, Sigrif le furet considère comme son pire ennemi Solaris, qui lui a écrasé la patte avant de s'enfuir avec Cresserel le faucon. Les deux adversaires attendent le moment fatal où ils se retrouveront pour un ultime combat. Les saisons passent… Solaris, le défenseur des opprimés, découvre Salamandastron, le domaine héréditaire des blaireaux souverains, véritable ville où l'attendent des régiments de lièvres. Il prend possession de son royaume, y développe les cultures, y améliore la cuisine et y accueille avec joie son ami Cresserel. Sigrif, lui, est sur le chemin de l'abbaye de Rougemuraille, où vit encore Bella, la vieille mère de Solaris. Cresserel le faucon prévient les habitants de l'abbaye du danger que représente Sigrif et ceux-ci arrivent à le détourner de Rougemuraille. Dans la panique de la fuite, le fils du furet, un bébé, est abandonné dans un fossé. Recueilli à l'abbaye, il est prénommé Sibyl et confié à la souris Capucine. Le petit furet grandit, comblé de soins et d'amour, mais ses mauvais instincts se réveillent au grand désespoir de Capucine qui veut croire qu'il peut changer. Il n'hésite cependant ni à voler, ni même à tuer et est banni à jamais de Rougemuraille. Il prend la route de Salamandastron où il pense retrouver son père. Effectivement, Sigrif et sa horde, agrandie par les troupes de Zigar le corsaire, sont proches de la grande montagne de feu…*

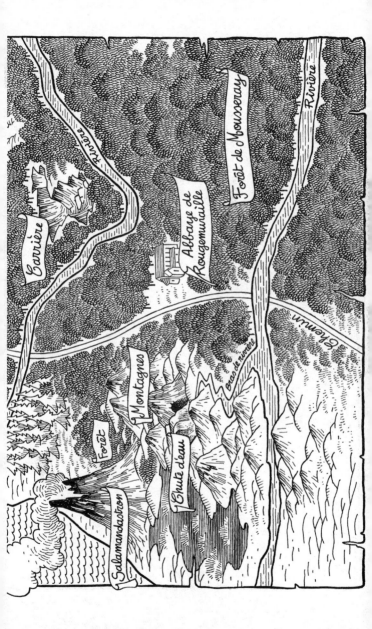

## CHAPITRE I

La première fois qu'il vit la montagne de Salamandastron, Sigrif le Vicieux fut atterré par sa taille et son extraordinaire majesté. À l'abri d'une ligne de rochers qui s'étirait le long de la grève, le seigneur de la guerre tenait conseil avec ses lieutenants. Les membres de la horde s'étaient étalés un peu partout sur la plage, les uns mangeant ou se reposant, les autres affûtant leurs armes. Zigar ne put s'empêcher de ricaner sur le plan de Sigrif, qui voulait prendre la montagne par-derrière dans un mouvement de tenailles.

— Morbleu! Écoutez-le : attaquer la montagne par-derrière… Bon sang, j'ai ouï toutes sortes de plans imbéciles dans ma carrière, mais alors celui-là, c'est vraiment le summum !

Contenant sa rage, Sigrif fit face au corsaire sarcastique :

— Ouais, eh ben toi, le capitaine qu'a été assez malin pour planter ton bateau sur les récifs, donne-nous une idée, puisque mon plan te plaît pas.

Piqué au vif par l'allusion à son naufrage, Zigar dessina rapidement de la pointe de son épée un plan d'attaque dans le sable.

— Fort juste, Monseigneur. Voici donc mon plan. La mer protège naturellement nos arrières ; attendons qu'elle se soit complètement retirée et alignons toute la horde en rangs serrés sur le sable découvert. Les défenseurs de votre montagne sont beaucoup moins nombreux que nous, c'est évident. Quand ils verront la puissance de notre armée marchant sur eux, leurs nerfs craqueront.

Un murmure d'approbation courut parmi les lieutenants. Sigrif barra le plan de Zigar d'un coup de sabre.

— Qu'est-ce que tu reproches à mon plan ? Et pourquoi le tien serait mieux ?

Zigar jubilait de sa victoire verbale sur Sigrif, qu'il considérait comme une brute épaisse.

— Votre tactique, Monseigneur, présente le défaut majeur d'exposer nos troupes, expliqua-t-il avec condescendance. Qui sait ce que cachent les collines derrière Salamandastron ? Tandis que, si nous retenons mon idée, nous avons doublement

e, la moitié des soldats de tête
ssitôt, Habila et ses Dormants
lamandastron, sautant soigneu-
s l'autre tranchée, celle qui
acérés. Zigar s'était jeté sur le
flot de javelots. Bondissant sur
rapière et hurla :
pez-les !

roles résonnait encore quand le
nouveau, une vingtaine de pas
racha un peu de sable et cria à
d'archers :
té, les gars !

ois, les réflexes de Zigar lui sau-
fraction de seconde après s'être
tendit des cris et sentit le poids
s s'abattre sur lui. Il se dégagea,
i sur ses pattes et, saisissant la
ncore l'un des cadavres, visa les
. Le coup fit mouche. Pétale, la
upières papillonnantes, poussa
la lance plantée dans le dos.
une autre lance autour de lui
ldats de la horde chargeaient
: pas plus loin, ils disparurent
hérissée de pieux. Des hurle-
échirèrent l'air brûlant tandis
npalaient sur les terribles pics.
nais revenez, imbéciles ! rugit
ts. Vous voyez pas que c'est un

à gagner : premièrement, nous ne risquons rien, et deuxièmement, nous allons éveiller la peur dans le cœur de l'ennemi.

Les lieutenants hochèrent vigoureusement la tête ; l'idée de Zigar leur plaisait. Sigrif désigna la montagne de son poing ganté :

— Parfait. Et s'ils n'ont pas peur de nous, qu'est-ce qu'on fait ? Les cent pas sur la plage en prenant l'air féroce ? Ton plan n'est pas mauvais, Zigar, mais il est insuffisant.

Le corsaire rengaina son épée et s'inclina jusqu'à terre devant Sigrif.

— Certainement, mon ami, faites : peaufinez les détails !

Le prenant au mot, Sigrif s'inclina à son tour.

— Mais parfaitement ! S'ils ne tombent pas raides morts de trouille en nous voyant, en dépit de tes prévisions, voilà ce qu'on va faire : attaquer sur les flancs dans un mouvement de tenailles, comme je disais, mais par la plage cette fois. Et on va charger en même temps sur l'entrée principale, de front. Bon. Maintenant, il nous faut quelqu'un d'assez brave et intelligent pour mener la charge de front. Lieutenants, qui voyez-vous pour ça ?

— Zigar ! répliquèrent les lieutenants d'une même voix.

Le corsaire sourit et salua de l'épée, bouillant intérieurement de s'être laissé prendre au piège.

Le soleil était à son zénith. Solaris le Formidable se tenait à la fenêtre de sa chambre, avec le colonel

Sanpeur, Sabretache et Rossolia. Ensemble ils regardaient les soldats de la horde s'aligner sans fin, en rangs serrés, sur le sable découvert par la marée. Les tambours battaient sans relâche, les conques marines résonnaient en guise de trompettes et les étendards aux motifs barbares flottaient au vent au-dessus d'une forêt de lances étincelant au soleil.

Le colonel Sanpeur observait froidement le spectacle, son monocle rivé sur l'œil.

— Savez-vous, je crois que nos lascars ont amené de quoi nous offrir une bonne bagarre. Qu'en dis-tu, 'Tache?

— Pff! souffla d'un air dédaigneux Sabretache, la fine lame du régiment. Espérons que ces débraillés se battent mieux qu'ils ne manœuvrent. Regardez-moi ça : l'alignement n'est pas droit et la tenue est incorrecte. Je vous redresserais ça en vitesse si j'étais leur lieutenant, vous pouvez me croire!

Solaris sourit à Rossolia.

— Tu as peur, demoiselle?

La jeune hase leva les yeux sur le blaireau souverain. Il portait sa grande massue sans effort sur l'épaule, son large poitrail protégé d'une fine cotte de mailles, la bande de poils jaune d'or sur sa tête se détachant sous la visière levée de son grand casque noir.

— Non, Sire, pas tant que vous êtes avec nous! répondit Rossolia.

La horde était maintenant rassemblée, ses

arrières pro
Flanqué d
belettes, Si
avait remac
dents et re
tournoyait
sa patte ab
que le long

Le seig
pointa sur
horde s'éb
prit la dir
droite. Zig

Solaris
Fonçant h
du vieux v
il savait q
le colonel
y souffla t
Coureurs

À pein
sable sec
Une trent
recouverte
de sable.
avait par
cachette à
Un cri s
leurs jave

— Iii

Pris par sur
s'effondrèrent.
se replièrent sur
sement par-de
contenait les pi
côté, esquivant
ses pattes, il tira

— Sus! Ra

L'écho de ses
sable se souleva
plus loin. Cassi
ses deux douzai

— Feu à vo

Une nouvelle
vèrent la vie. Ur
jeté par terre, il
de deux corps m
bondit de nouv
lance que tenait
Dormants en fu
jeune hase aux
un cri et s'écroul

Zigar cherch
tandis que les
encore. Cinquan
dans la tranchée
ments d'agonie
que les soldats s

— Revenez,
Zigar aux surviva
piège?

Tandis que ses troupes se repliaient, le corsaire courut jusqu'à l'endroit où gisait Pétale, qui gémissait de douleur. La face crispée de rage, il la transperça de sa rapière.

— On frappe et on se taille, hein? Mais maintenant, c'est mon tour de frapper! On va voir si tu cours toujours aussi vite!

La malheureuse criait sous les coups cruels et répétés de la longue lame.

— Hé, dégonflé, essaie plutôt de te défouler sur quelqu'un qui peut se défendre!

Zigar leva la tête. Le capitaine Sabretache, chef de la patrouille des Coureurs de fond, marchait résolument sur lui. Un sourire malveillant étira la gueule du furet.

— Laissez-le moi! cria-t-il à ses soldats. Il porte une lame!

Ignorant la racaille bouche bée, Sabretache franchit la tranchée d'un bond et, tirant son épée, fit face à Zigar.

Nul n'avait jamais vaincu le corsaire à l'épée. Courbant sa longue lame d'acier entre ses pattes, il regarda d'un air méprisant le lièvre, tout seul devant lui.

— Diantre! En voilà un petit lapin courageux! Allez, viens te faire embrocher!

Le lièvre se fendit; son étroit sabre recourbé croisa la lame de la rapière avec une telle force que l'onde de choc résonna dans tout le bras de son adversaire. Sabretache sourit avec insouciance.

— En garde, furet!

Genoux fléchis, les deux adversaires se mirent en position, leurs lames dardant telles des langues de serpent tandis que chacun cherchait une ouverture. Le silence s'installa provisoirement sur la plage de Salamandastron. Pétrifiés, la horde et les défenseurs de la montagne savaient qu'ils assistaient à un duel à mort.

Zigar avançait pas à pas, sa rapière cherchant l'insaisissable ennemi. Sabretache reculait, esquivait. Soudain, il se déplaça sur le côté, son sabre étincela… et trancha l'oreille du furet. Incrédule, Zigar toucha sa blessure et lança un regard venimeux au lièvre. Une patte derrière le dos, genoux toujours fléchis, Sabretache embrassa la garde de son sabre, en position de salut.

— Tu m'entends encore, vieille branche?

Avec un grognement de rage, Zigar chargea, battant l'air de sa rapière. Les deux lames se croisèrent, le sable vola sous les pattes agiles, engagées dans une danse mortelle. De sa patte libre, Zigar réussit à attraper la poignée du sabre de Sabretache. Au moment où le lièvre se dégageait, le corsaire le visa à la tête avec un cri de triomphe.

— Crève!

Sabretache pencha la tête, empêchant la lame de lui trancher la gorge. Il se redressa en souriant.

— Raté, mon pote, à refaire! jeta-t-il en tâtant la fine balafre qui lui rayait la joue.

Zigar chargea de nouveau, mais cette fois le lièvre était prêt. Bloquant garde contre garde l'épée de l'ennemi, il appuya violemment vers le bas, avant de tordre le poignet vers le haut. La rapière décrivit un arc de cercle étincelant sous le soleil de midi, puis un rapide coup de pied à l'estomac envoya le corsaire désarmé rouler par terre. Appuyé sur son sabre comme sur un vulgaire bâton, Sabretache désigna la rapière d'un signe de tête tandis que le furet, horrifié, rampait sur les coudes pour se mettre hors de portée du sabre.

— Ramasse, vermine !

Comprenant qu'il avait affaire à un maître d'armes, Zigar commençait à prendre peur. Mais il lui restait plus d'un tour dans son sac. Plongeant pour récupérer son arme, il ramassa une poignée de sable et la lança au visage de son adversaire. Comme Sabretache levait la patte à ses yeux, le corsaire se jeta sur lui, tête baissée, et les deux combattants culbutèrent dans le sable. Cependant, le lièvre avait encore du ressort lui aussi. Ses longues pattes se détendirent, tels deux pistons, cueillant le furet au creux de l'estomac et l'envoyant valser par-dessus sa tête. Le corsaire atterrit un peu plus loin, le souffle coupé sous le choc. Sabretache s'était déjà relevé. Zigar se redressa en titubant, assez vite pour lever sa lame, mais pas pour bloquer l'attaque foudroyante de son adversaire. Il recula en chancelant ; les lames s'entrechoquèrent de nouveau, pendant que le lièvre forçait habilement l'ennemi à contourner la tranchée et le coinçait enfin, à force d'attaques, de fentes et d'esquives, le dos contre un rocher. Alors les deux lames se figèrent, la solide garde du sabre écrasant celle de la rapière, fine et ajourée. Les yeux dans les yeux, les duellistes oscillèrent.

Une lueur de panique brilla dans les yeux de Zigar ; il avait trouvé son maître.

— Pitié ! supplia-t-il, à demi étouffé. J'implore votre merci !

Il n'y avait nulle pitié dans le regard du capitaine de la patrouille des Coureurs de fond. Il fit voler la rapière et pointa son sabre incurvé sur le vaincu.

— Tu demandes grâce, furet ? Toi qui tout à l'heure frappais un blessé sans défense ?

Il cracha de dégoût.

— Vous avez mené une vie de lâche, monsieur, apprenez au moins à mourir en brave !

Le corps de Zigar glissa sur le sable, inanimé. Calant son sabre sous le bras comme un bâton de maréchal, Sabretache s'éloigna d'un pas ferme.

Cassis et Médard avaient profité du duel pour se glisser hors de la forteresse et ramener le corps de Pétale.

Quant à Gal et à sa bande, ils avaient contourné la montagne et atteignaient maintenant son versant sud, désert et escarpé. Le lieutenant s'attendait à rencontrer de la résistance, mais il n'y avait rien que le roc devant eux, une face à pic sans trace d'ouverture. Une fouine du nom de Banderille haussa les épaules, déconcertée :

— Eh ben, on y est, les gars. Qu'est-ce qu'on fait, maintenant ?

Gal gratifia l'infortuné d'une bonne taloche.

— Comment ça ? Qu'est-ce que tu crois, tête de linotte ? On grimpe et on cherche une entrée, tiens !

Gênée par son attirail de lances, d'armes et de boucliers, la bande commença à escalader sans grand enthousiasme la paroi rocheuse. Gal grimpait loin devant, plein d'énergie. Il se retourna et lança :

— Si on trouve une ouverture, on se fraye un chemin jusqu'à la porte principale et on ouvre au capitaine Zigar.

Banderille traînait en queue, attendant qu'un rat encore plus lent que lui le rattrape.

— Allez, dépêche ! Et ouvre les yeux, on cherche une entrée !

Le rat lui lança un regard méprisant et ralentit encore sa progression.

— Et puis quoi encore ? T'es complètement frappé si tu crois que j'vais entrer là-dedans ! C'est plein d'blaireaux et d'lièvres !

La fouine s'assit sur une corniche herbeuse.

— Alors on est pareils, mon pote, moi non plus j'suis pas fou !

Tout en haut de la paroi, invisibles d'en bas, Porto et Floc, le vétéran de Salamandastron, risquèrent un regard par-dessus la corniche sur les grimpeurs. Floc plissa les yeux.

— Tu crois qu'ils sont assez haut, chef ? À toi de décider.

Le gros Porto se gratta pensivement la panse ; il leva les yeux sur le gigantesque tas de pierres habilement maintenu par une longue cale de bois.

— Difficile à dire, camarade. Mais c'est un peu fort de me laisser prendre seul la décision. Après tout, tu es le plus âgé, non ?

Floc posa la patte sur la cale.

— En voilà un sacré roublard, pour un bleu*. Le colonel Sanpeur a dit que t'étais le sous-off responsable. C'est toi qui donnes les ordres !

Porto fit la grimace. Il avait faim et n'était pas d'humeur à plaisanter.

— Oh, parfait ! Il fait sacrément chaud, ici, et j'ai l'estomac dans les talons. Alors, allons-y, camarade, c'est un ordre !

— Ah, ça c'est beau, gloussa le vieux lièvre. Un jeune sous-off au commandement…

D'un preste coup de patte, il envoya la cale valser dans les airs, déclenchant un monstrueux éboulement.

Gal essuya la sueur de ses yeux, puis, la patte en visière, leva la tête vers le sommet.

— Y a forcément un passage là-haut… Aaaaaaah !

Si les rochers n'avaient pas rebondi sur la paroi, ils auraient tué la totalité des grimpeurs. Mais de la façon dont ils déboulèrent, ils écrasèrent seulement la moitié de la bande, à commencer par Gal.

Floc observait la scène de son perchoir. Il secoua la tête.

---

* Bleu : jeune soldat.

— Ça leur apprendra à attaquer sans somma-
tion, n'est-ce pas, chef ? marmonna-t-il. Chef ?
Porto ?

Le jeune lièvre affamé avait déjà disparu à l'intérieur : il n'avait jamais manqué le goûter depuis
que son héros, le seigneur Solaris, en avait ins-
tauré l'habitude, deux saisons plus tôt.

Solaris attendait en bas, caché dans la face
nord de la montagne. Il vit les premiers bandits
apparaître au détour des rochers. Soudain, il aperçut Sigrif. Comme à son habitude, le furet laissait
les autres marcher devant. À la vue de son ennemi
juré, le blaireau souverain oublia tous ses plans ;
son sang ne fit qu'un tour. Au mépris de toute
prudence, il leva sa massue et chargea.

— Iiiiioulaliiiiie !

Ce fut une terrible apparition pour l'armée
d'en face : un blaireau géant casqué et en cotte de
mailles, brandissant une massue comme peu en
avaient déjà vu, fonçait sur eux. Tournant les
talons, les conquérants s'enfuirent, et Sigrif avec.
Rugissant de plus belle, Solaris se lança à leur
poursuite sans réfléchir.

De retour à la fenêtre de la chambre auprès du
colonel Sanpeur et de Rossolia, Sabretache observait les combats sur la plage. Fripouille, une
fouine rapide à la détente, avait pris le commandement des troupes de Zigar. Le nouveau chef fit
descendre la racaille dans la tranchée, briser les

pieux et les empiler avec les cadavres au bord du trou. Une fois le tout recouvert de sable, la horde disposa d'un bon abri derrière lequel elle pourrait harceler les assiégés de pierres, de lances et de flèches.

Le colonel Sanpeur dépêcha un messager vers les fenêtres et les meurtrières du bas.

— Dis aux gars de monter : on a une vue plongeante d'ici, c'est parfait pour tirer dans la tranchée. Et cette sale vermine aura d'autant plus de mal à riposter à cette hauteur. Pardon, tu dis, vieux frère ?

Sabretache gémit tout haut, les yeux exorbités à la vue de ce qui se passait en bas :

— Oh, mes aïeux ! Regardez ça, patron !

Solaris, seul, à découvert au milieu de la plage, défiait en rugissant ses adversaires. Quant à Sigrif, il s'était réfugié au bord de l'eau, laissant le gros de la horde entre lui et son ennemi.

Sanpeur fronça le sourcil derrière son monocle.

— Enfer et damnation ! Notre souverain va se faire massacrer, il y a assez de vermine en bas pour tuer une dizaine de blaireaux ! Le fameux sang de ses ancêtres n'y changera rien ! Il faut agir. À toi 'Tache, fonce !

Rossolia fixait avec angoisse la silhouette solitaire sur la grève.

— Ils tirent des flèches sur lui ! cria-t-elle.

Sigrif était furieux contre lui-même ; il avait parcouru tout ce chemin pour se venger et voilà qu'il fuyait la queue entre les pattes à la seule vue de Solaris. Le souffle court, il pataugea jusqu'au banc de rochers qui s'étirait du rivage à la mer.

Mortifère, qui avait tout vu, s'employa habilement à panser l'amour-propre meurtri du seigneur de la guerre.

— Nul ne peut s'opposer au blaireau fulminant, Seigneur. Vous avez bien fait de lui échapper. D'ailleurs, vous aviez toujours dit que vous vouliez le prendre vivant, n'est-ce pas ?

Le furet cessa de cogner du poing contre les rochers et leva un regard plein d'espoir.

— Tu as un plan, renarde. Parle !

— On va le prendre au filet comme un vulgaire poisson, Monseigneur.

— Crétine ! Où veux-tu trouver un filet assez grand pour lui ?

— Il nous reste quelques grandes toiles de tente...

La figure du seigneur de la guerre se fendit d'un large sourire.

— Bon sang, c'est bien sûr ! Et une fois le blaireau empaqueté, les lièvres plieront comme de l'écorce pourrie !

Solaris était assailli de toutes parts. Il avait beau tournoyer et rugir comme un fou, il ne parvenait pas à atteindre ses adversaires, qui gardaient leurs distances tout en le harcelant de flèches et de pierres. La pesante cotte de mailles et le casque d'acier alourdissaient le blaireau enragé, mais il ne pouvait prendre le risque de les enlever. Ses pattes s'enfonçaient dans le sable mou.

Hurlant et vociférant, il secoua sa grande massue.

— Iiiioulaliiiiie !

La horde faisait cercle autour de lui ; on aurait dit une bande de chiens haineux harcelant un grand cerf, le bombardant obstinément sans jamais se mettre à sa portée. Sa cotte de mailles était pleine de sable, la sueur coulait dans sa bouche et le long de ses oreilles sous son casque chauffé à blanc par le soleil, lui brûlant les yeux et l'aveuglant. Fou furieux, Solaris ne voyait Sigrif nulle part par les minuscules fentes de sa visière. Il essaya d'avancer ; aussitôt, une flèche se ficha dans sa patte nue. Avec un sourd grondement, il arracha le trait* et le lança à l'aveuglette sur ses agresseurs. Puis, tandis qu'il extirpait son pied du sable, il l'écorcha sur une lance. Chancelant et trébuchant, le blaireau s'enfuit à tâtons vers les rochers.

C'est alors que les toiles de tente s'abattirent sur lui, semblables à un filet géant.

Le poids soudain sur ses épaules fit tomber Solaris à quatre pattes. Tout en se battant à l'aveuglette contre la toile rêche et rigide, il entendit confusément la voix de Sigrif :

— Je le veux vivant ! Sautez sur la toile, on le tient !

Écrasé, complètement paralysé, le blaireau sentit sa tête heurter le sable sous le casque. Luttant pour respirer, il perdit connaissance.

---

\* Trait : projectile lancé à l'aide d'une arme, ici un arc.

## Chapitre II

Myriam ne s'aperçut de la disparition de Capucine qu'une heure après le jour. Elle se laissa tristement tomber sur le lit vide, contemplant les draps défaits.

L'abbesse relut la note laissée par la souricelle.

— Rougemuraille ne sera plus le même sans notre petite fleur, murmura-t-elle.

Elle se retourna ; Bella se tenait sur le seuil.

— Hélas, non, regretta la vieille femelle au front d'argent en s'asseyant à côté d'elle. Crois-tu qu'elle reviendra un jour ?

— Oh, oui ! Un jour, nous la verrons repasser les portes de l'abbaye, mûrie et plus avisée.

L'abbesse se crispa, sa voix se durcit :

— À moins qu'il ne lui arrive malheur en suivant Sibyl. Ce voyou attire les ennuis comme l'automne attire l'hiver. Une souricelle aussi jeune, toute seule dans la nature… Nous devrions lui envoyer quelqu'un.

Bella se leva lentement.

— Non, Myriam, dit-elle gravement. Le destin a tracé le chemin de Capucine depuis longtemps. Tout ce que nous pouvons faire, c'est penser à elle du fond du cœur, où qu'elle se trouve.

La vieillarde s'appuya au bras de l'abbesse, et les deux amies sortirent de la pièce déserte, qui paraissait plus vide que jamais.

Le crissement sec et régulier des cigales emplissait l'air ; au fond du pur azur, une alouette chanta ; les abeilles butinaient bruyamment, de bouton-d'or en bleuet, et les papillons ouvraient leurs ailes comme de minuscules voiles immobiles dans l'air calme. Capucine s'arrêta, savourant le contact de l'herbe sèche et ondulée sous ses pattes. Le soleil, encore à l'est, n'avait pas atteint son zénith. La souricelle pivota, de façon à sentir les rayons sur son épaule droite, et reprit sa marche. Elle avait entendu le défi lancé par Jonas à Sibyl et savait que la grande montagne se trouvait vers l'ouest.

Il lui fallut un moment pour se débarrasser du sentiment de tristesse qu'elle avait ressenti en quittant Rougemuraille. Toute la matinée, elle n'avait cessé de se retourner pour regarder l'abbaye, voyant sa taille diminuer au fur et à mesure qu'elle s'éloignait. Enfin, elle franchit une série de collines ondulées et Rougemuraille disparut à sa vue. La souricelle voulait retrouver Sibyl et le ramener, même s'il avait été banni de l'abbaye. Elle avait même un plan, que ses amis de Mousseray l'aideraient à réaliser : ensemble, ils construiraient une cabane dans les bois, non loin de Rougemuraille ; elle y vivrait avec Sibyl, lui apprenant à bien se comporter et montrant à ceux de l'abbaye comme il avait changé. Peut-être alors, peut-être seulement, Bella regretterait-elle sa décision et laisserait-elle Sibyl revenir. Réconfortée à cette idée, Capucine repartit d'un bon pas, entonnant une vieille ballade de Rougemuraille.

Vers midi, elle s'autorisa enfin à faire halte pour manger un morceau. Elle choisit un coin ombragé et ouvrit son sac. Elle avait du jus de cresson et des pommes ; elle se rappela avoir aidé à ranger les fruits sur un lit de paille, à l'automne, après la récolte. Puis elle prit une galette d'avoine faite par frère Jean, et l'émotion la submergea. Comme personne ne pouvait la voir, la souricelle laissa libre cours à son chagrin, pleurant à chaudes larmes tout en mangeant sa galette.

— Hum ! Hum ! Je peux la finir, souris, si t'en veux plus !

Capucine leva la tête ; un très gros rouge-gorge l'observait. Il montra la galette du bec.

— La mange pas si ça te fait pleurer. Donne-la moi plutôt, ça ira mieux, tu verras!

Capucine essaya de s'essuyer les yeux à sa manche, mais les larmes continuèrent de rouler sur ses joues. Elle cassa un morceau de galette et le lança à l'oiseau.

— T… tiens, et m… maintenant, l… laisse-moi!

Le rouge-gorge picora la galette d'un air grave, la tête agitée de secousses.

— Mmm, pas mal du tout… Excellent même! Et voilà, tu as le hoquet maintenant. Il ne faut pas pleurnicher en mangeant, vilaine!

Capucine détourna la tête, essayant toujours de contenir ses larmes.

— J… je pl… pleurniche p… pas, m… mais l… laisse-moi, s… s'il te plaît!

Elle cassa un autre morceau de galette pour l'indiscret, qui s'en saisit avec humeur avant de s'envoler lentement.

— Pas gaie la souris, hein?

Capucine avait réussi à contrôler ses sanglots; elle cria à l'oiseau:

— Tu n'aurais pas vu un furet passer, par hasard?

Le rouge-gorge revint à tire-d'aile. Il termina son bout de galette avant de répondre:

— Ça se pourrait. Donne-moi le reste du gâteau et je te le dirai. C'est pas bon pour toi, les sucreries, ça te fait pleurer.

Capucine lui tendit le reste de la galette. La

tête penchée sur le côté, le rouge-gorge se mit à picorer d'un air pensif.

— T'en as d'autres, dans ton sac ?

— Non, répliqua Capucine en ravalant ses dernières larmes avec colère. Et maintenant, veux-tu bien me dire si tu as vu un furet passer par là, oui ou non ?

Le rouge-gorge hocha la tête.

— Oui, hier soir.

— Ah ! Et il est parti par où ?

L'oiseau pointa l'aile vers l'ouest, exactement dans la direction prise par Capucine, puis il s'envola.

Tout d'un coup, la jeune souricelle se sentit submergée de fatigue, épuisée par sa longue marche et les émotions. Elle se roula en boule et s'endormit en un clin d'œil.

Un courant d'air, un insecte ou quelque chose qui lui chatouillait les moustaches réveilla Capucine. Lentement, elle ouvrit un œil… et le referma immédiatement, paralysée par la peur. Juste devant ses yeux, elle venait de voir une immense patte plate aux longues griffes arrondies.

— Rréveillez-vous, mam'zelle, c'est moué !

Repoussant la patte suspendue à un poil de sa figure, la souricelle se dressa à la verticale et s'écria :

— Gontran ! Qu'est-ce que tu fais là ?

— J'vous rr'garrdions dorrmirr, répliqua nonchalamment la taupe en fronçant son museau en trompette. Dites donc, c'est qu'vous rronflez drrôl'ment!

La souricelle se releva, puis s'épousseta avec indignation.

— Moi? Jamais de la vie!

Gontran déposa son sac par terre.

— Ho, ho, ho! C'est qu'vous vous entendez point parrce que vous dorrmez!

La souricelle tapa du pied.

— Ça m'est égal, de toute façon. Mais je t'ai demandé ce que tu faisais là. Aurais-tu l'obligeance de me répondre?

— C'est qu'vous êtes mon amie, mam'zelle, répondit Gontran en lui prenant la patte. J'allions tout d'même point vous laisser parrtir toute seule à la rr'cherrche de messirre Sibyl, ah ça non!

Capucine le serra dans ses bras.

— Tu es un vrai ami, Gontran, un bon et loyal compagnon. Merci!

La brave taupe enfouit sa figure dans ses larges pattes, comme le font souvent ses congénères pour cacher leur embarras.

— Hum! J'allions rr'tourrner tout d'suite à l'abbaye si vous continuez à m'étouffer comme ça!

Capucine comprit. Sans un mot de plus, les deux amis prirent la direction du sud-ouest.

L'après-midi tirait à sa fin. Il faisait encore jour, mais le soir tombait et Sibyl avait faim. De toute la journée, il n'avait mangé que des racines comestibles et quelques pousses de pissenlit.

Suçant une pierre plate pour tromper sa soif, il poursuivit son chemin dans le crépuscule. Au bout d'un moment, il aperçut une lueur sur la gauche. Poussé par la curiosité, il s'approcha sans bruit. C'était un feu, allumé dans une dépression au pied du coteau. Le furet rampa le plus près possible, puis leva la tête.

Assis autour du feu, un vieux loir entouré de deux tout-petits faisait rôtir des pommes. À côté d'eux reposaient une miche de pain toute simple et un gros morceau de fromage à pâte foncée. Sibyl remarqua que le vieux loir utilisait un couteau pour couper le pain ; il avait aussi un long bâton posé à portée de patte. Le furet s'avança dans la lumière, les bras ouverts, un sourire désarmant aux lèvres.

— Je vous en prie, camarades, ne vous effrayez pas, dit-il d'une voix douce et feutrée. Je viens en ami.

Le vieux loir l'examina des pattes à la tête.

— En ami, hummm, et avec l'estomac dans les talons aussi, à ce que je vois. Assieds-toi, on n'a pas grand-chose, mais tu es le bienvenu. Les p'tits ont perdu leurs parents pendant le terrible hiver de l'année dernière, y z'ont plus qu'moi pour s'occuper d'eux, les pauvres. On vit sur les chemins, comme on peut, et quand y a plus rien à manger, on se serre la ceinture.

Sibyl s'assit en face du vieux, de l'autre côté du feu. Il accepta une tranche de fromage, un morceau de pain, une pomme rôtie et un grand coquillage dans lequel il se versa de l'eau. Il mangea avec appétit, improvisant un tissu de mensonges à l'intention du gentil loir.

— Je m'appelle Jean. Je suis comme les petits, j'ai perdu mon père et ma mère l'hiver dernier, et une sœur aussi. Je cours la campagne tout seul, depuis.

Le vieux loir fixa les flammes.

— Les p'tits s'appellent Nono et Honorine, comme leurs parents. Moi, c'est Nono le Vieux. Ouais, mon brave Jean, la vie est dure pour les sans-abri. Regarde, y dorment déjà tellement y sont esquintés, comme leurs petites pattes, à force de traîner sur les chemins. Tiens, mon jeune ami, mets ça sur tes épaules, il fait froid la nuit.

Il sortit une couverture toute effilochée d'un sac en écorce et la lança à Sibyl. Le furet s'enveloppa douillettement dedans.

— Dors bien, Nono, dit-il. Qui sait, peut-être la chance nous sourira-t-elle enfin demain?

Le loir jeta quelques brindilles dans le feu avant de s'allonger à son tour.

— Ça nous ferait pas d'mal, en effet. Bonne nuit, Jean.

Les yeux entrouverts, Sibyl écoutait le feu craquer en attendant son heure.

Le lendemain, Gontran se réveilla avant Capucine. Il déballa les provisions qu'il avait emportées avant de quitter Rougemuraille. Puis il cueillit un bouton-d'or et le glissa doucement entre les pattes croisées de la souricelle.

*Rréveille-toué ou ma foué,*
*Le p'tit déj', j'vas l'manger !*

Capucine s'assit, les yeux fixés sur la fleur.

— Ça vient d'où, ça ?

— Qu'est-ce que j'en savions, moué, rétorqua Gontran, occupé à couper deux parts dans une tourte patates-navets froide. Vous pouvez vous amuser à courrirr la campagne la nuit pour cueillirr des p'tites fleurrs, c'est point mes oignons !

Capucine exécuta une gracieuse révérence.

— Merci, monsieur. Oh, quel superbe petit déjeuner !

Les deux amis se prélassèrent un moment après le repas, savourant le clair matin d'été. Puis ils remballèrent leurs affaires et reprirent leur marche vers le sud-ouest. Quelques heures plus tard, ils s'arrêtèrent au sommet d'un tertre couvert d'herbe, où soufflait une brise fraîche.

— Tu sais, Gontran, si la colline était un peu plus haute, je parie qu'on pourrait apercevoir Rougemuraille. L'abbaye n'est pas si loin, en fait, juste à une journée de marche, à peine plus.

Son ami regardait de l'autre côté. La patte au-dessus des yeux, il scruta le lointain vers le sud-ouest avant de parcourir le paysage du regard.

— Oui-da, mam'zelle. Oh, rr'gardez donc, on vient parr là !

Capucine écarquilla les yeux dans la direction indiquée et distingua un petit groupe sombre.

— Mmm, ils sont combien, à ton avis ?

Gontran avait une vue exceptionnellement bonne pour une taupe.

— Ma foi, j'dirrions bien deux… Non, trrois, oui c'est ça, trrois. Dame, et si c'était des vilains ou des bandits ?

Capucine lui conseilla de se coucher par terre, comme elle, afin que les autres ne les voient pas. À plat ventre au sommet de la colline, ils regardèrent le trio approcher. Capucine se releva.

— Ce sont des loirs. Apparemment, deux d'entre eux sont encore des bébés. Viens, Gontran, ils ne nous feront pas de mal. Allons voir ce qu'ils font dans les parages.

Les deux petits loirs pleuraient piteusement, accrochés à la couverture drapée autour des épaules du vieux Nono. Le malheureux avait une blessure à la tête, une énorme bosse couverte d'une croûte de sang séché. Titubant dans la direction de Capucine et de Gontran, il s'effondra, poussant les bébés devant lui dans sa chute.

Capucine fut aussitôt à ses côtés.

— Oh, mon pauvre ami ! Qu'est-ce qui vous est arrivé ?

Humectant un mouchoir, elle bassina la tête du vieux loir tandis qu'il leur faisait un récit embrouillé des événements de la nuit passée.

— Y avait un furet, du nom de Jean à ce qu'il a dit, y campait avec nous, on lui avait donné à manger et aussi une couverture, pour dormir. J'sais pas c'qui s'est passé, mais quand j'me suis réveillé, j'avais la tête en feu, plus rien à manger, plus d'couteau, plus d'bâton, rien qu'mes yeux pour pleurer ! Et l'furet, disparu avec le reste !

Capucine échangea un regard avec Gontran. Elle secoua la tête.

— Jean ! Ça ne peut être que Sibyl. Allume un feu, Gontran, occupe-toi des petits. Je vais voir ce que je peux faire pour ce pauvre vieux. Mmm, la blessure est superficielle, ça devrait aller.

Gontran distribua une part de tourte patates-navets et un gobelet de jus de pissenlit à la bardane à chacun des petits, puis il leur sortit un paquet de marrons glacés. Ils n'avaient rien mangé depuis la veille et se jetèrent avidement sur la nourriture.

Capucine aida le vieux Nono à reprendre ses esprits ; elle nettoya sa blessure et la pansa, puis, tandis qu'il se restaurait, le gentil loir lui raconta sa vie d'errance et de privations avec les deux bébés. La souricelle lui proposa une solution qui mettrait fin à tous ses problèmes :

— À une journée de marche vers l'est, ou un peu plus, tu trouveras un large chemin. Suis-le : il te conduira à l'abbaye de Rougemuraille. Dis à la mère abbesse, Myriam, que c'est Capucine qui t'envoie. Tous les êtres de bonne volonté sont les bienvenus à Rougemuraille ; tu y vivras en paix avec les petits, à l'abri du besoin. Les bébés recevront une bonne éducation et vous serez entourés tous les trois de l'affection de vrais amis. Bon voyage, Nono, et que fortune vous accompagne!

Le vieux loir esquissa un pas de danse surprenant pour quelqu'un de son âge; puis il prit les pattes des petits et s'inclina devant la souricelle et son ami.

— À quelque chose malheur est bon, comme on dit. Hier soir, ce voyou m'a annoncé que la chance me sourirait peut-être aujourd'hui. Qui aurait cru que la prédiction de ce furet malveillant se réaliserait?

Ils se séparèrent en se criant au revoir, après que Capucine et Gontran eurent laissé l'un de leurs sacs de provisions aux loirs.

Les deux amis ne prononcèrent pas un mot au sujet de Sibyl et repartirent en silence sur la piste du furet.

Sibyl avait repris la direction du sud-ouest. Il possédait maintenant un couteau, un bâton et de la nourriture, et il s'était taillé un manteau dans la couverture. Il découvrit un carré de fraises sauvages, dont il se gava à n'en plus pouvoir, puis il reteinta ses pattes de rouge avec le jus, se peignit des bandes sur la figure et piétina le carré jusqu'à ce qu'il n'en reste plus qu'une bouillie de feuilles et de fruits écrasés. Loin de se douter que Capucine et Gontran le suivaient à moins d'un jour de marche, il s'éloigna tranquillement, se dirigeant vers la grande montagne de Salamandastron et le père qu'il n'avait jamais connu. À l'occasion, il se demandait si celui-ci, le fameux Sigrif, était aussi dur et malin que lui. Mentalement, il prit le pari que non.

---

## Chapitre III

# Solaris le Formidable

était à terre. La vermine s'amassait autour de lui, se jetant sur la toile recouverte d'une montagne de sable, la piétinant avec des hurlements de triomphe. Juché d'un air imposant sur les rochers, Sigrif était le héros du jour.

Du côté de Salamandastron, le colonel Sanpeur se penchait dangereusement à la fenêtre de la chambre, fixant avec anxiété le seuil de l'entrée principale. À sa droite, Rossolia frappait du poing sur l'appui rocheux de la fenêtre, tremblant et sanglotant :

— Aidez-le, vite! Aidez-le! Mais où sont-ils?

— Du calme dans les rangs, fillette, répliqua le colonel sans lui accorder un regard. Dos droit et tête haute. Diable! Les voilà, écoute!

Une bande de lièvres surgit de l'entrée principale. Sabretache, en tête, agitait son long sabre comme un bâton de tambour-major. Félicie et Duracuir, ses deux solides lieutenants, menaient la charge avec lui, suivis d'une bonne cinquantaine de lièvres de la fameuse patrouille, tous armés de lances et de frondes chargées de billes d'acier forgées à Salamandastron.

— Coureurs de fond! Faites-leur mordre la poussière! Iiiiioulaliiiiie!

Ils franchirent d'un bond puissant la tranchée occupée par la horde et, tel un aigle fondant sur sa proie, atterrirent au milieu de la racaille interloquée, massée autour de Solaris. Sigrif disparut aussitôt derrière les rochers, courant vers la mer comme s'il avait le démon à ses trousses.

Les membres de la horde tombaient comme des mouches. De la pointe de son sabre, Sabretache cueillit à l'estomac un rat tatoué tout en hurlant :

— Découpez la toile, libérez le seigneur Solaris!

Bientôt, les survivants de la horde s'enfuirent à toutes pattes tandis qu'un cercle serré de lièvres, lances tournées vers l'extérieur, se formait autour du gros paquet de toile. En un clin d'œil, les lames acérées déchiquetèrent la prison du blaireau.

Sabretache et ses lieutenants tirèrent Solaris inconscient à l'air libre. Aussitôt, Félicie lui arracha son casque et, soutenant sa tête, cria à Médard :

— De l'eau, vite !

Sigrif s'était ressaisi. Rassemblant ses troupes, il les conduisit derrière les rochers, qu'ils longèrent jusqu'à la montagne. Massée devant la lourde porte de bois brut, la horde bloquait maintenant l'entrée principale de la forteresse, empêchant toute possibilité de repli.

— Les laissez pas passer ! hurla Sigrif à ses archers, tapis au fond de la tranchée un peu plus bas. Repoussez-les jusqu'à la mer !

Le seigneur de la guerre tremblait de frustration. Il avait failli attraper Solaris et gagner la bataille ; mais le blaireau ne lui échapperait pas une seconde fois. Le plan du furet avait le mérite de la simplicité : dès que le blaireau et ses lièvres auraient de l'eau à hauteur de la taille, il pourrait les massacrer tout à loisir.

L'eau fraîche éclaboussant sa figure zébrée d'or fit peu à peu reprendre connaissance à Solaris. Très affaibli, couvert de coups et de balafres, il ne bougeait pas, laissant Félicie verser le liquide revigorant sur sa tête.

— Laissez l'eau couler sur vous, sire, mais ne buvez pas trop : ça vous ferait du mal. Entendu ?

— Baissez-vous ! hurla Sabretache comme un lièvre tombait à côté de lui, transpercé par une flèche. Abritez-vous derrière les rochers, ils nous tirent dessus depuis cette maudite tranchée !

Traînant Solaris derrière eux, les lièvres de la patrouille réussirent à atteindre le banc de rochers perpendiculaire à la mer. Creusant le sable à toute vitesse de leurs longues pattes, ils élevèrent une barricade de fortune pour se protéger des archers.

Le colonel Sanpeur avait dû se retirer de la fenêtre : des pierres et des flèches tirées d'en bas fusaient par l'ouverture, ricochant sur les murs de la pièce.

L'officier renifla avec dédain. Ajustant son monocle, il pointa l'une de ses longues oreilles sur Rossolia :

— Sors de là, demoiselle, inutile de t'exposer pour rien.

Rossolia avait ramassé les pierres envoyées par l'ennemi et s'apprêtait à retourner à ceux d'en bas la monnaie de leur pièce. Faisant tournoyer sa fronde, elle se précipita à la fenêtre et visa promptement les assaillants.

— Je reste avec vous, colonel.

Sanpeur décrocha un arc du mur ; encochant à la corde une flèche tombée par terre, il se glissa lestement à la fenêtre et tira. Un cri le récompensa. Le colonel hocha la tête en direction de Rossolia :

— Brave petite ! Fidèle et sans reproche, hein ? Continue, on va les payer de retour !

Fermant un œil derrière son monocle, il lâcha une nouvelle flèche.

Tapi derrière la barricade à côté de Duracuir, Sabretache résuma pour lui le danger de leur situation :

— Ça sent mauvais, frangin, les bougres nous ont bel et bien coincés. Et on ne risque pas non plus de réintégrer la forteresse : regarde un peu la racaille massée devant la porte ! Une horreur !

Duracuir désigna la mer de la pointe de l'oreille.

— Leur stratégie est claire, ils veulent nous repousser jusqu'à la mer. Pff, non mais regarde-moi ce vilain tas de vermine qui nous attend au bord de l'eau. Si tu veux mon avis, on est faits comme des rats !

Sabretache baissa la tête pour éviter une flèche, qui siffla à son oreille.

— Faut tenir, vieille branche, jusqu'à ce que messire Solaris ait repris du poil de la bête, et espérer un miracle pour nous tirer de là.

Solaris tirait sur la cotte de mailles qui l'étouffait. Félicie essaya d'immobiliser ses énormes pattes.

— Gardez-la, sire. Mieux vaut être un peu serré que transpercé de flèches.

Comme pour confirmer ses paroles, une flèche rebondit sur les mailles d'acier et vint s'enfoncer dans le sable. La hase cligna de l'œil :

— Sauf votre respect, Sire, vous avez pigé, maintenant !

Les ombres commençaient à s'allonger. Toujours tapis derrière les rochers, les lièvres dûment coincés attendaient. L'incessant pilonnage de pierres et de flèches s'était quelque peu ralenti, mais la horde prenait maintenant le temps de viser. La situation était à la fois frustrante et dangereuse. Duracuir jeta un œil vers la mer, par-dessus leur rempart de sable.

— Oh, flûte alors ! Voilà que ceux du bord remontent discrètement vers nous. Attention, les gars, une embuscade se prépare…

Il lécha une blessure à son épaule et la referma avec un peu de sable sec.

— Dugududuguduuuuule !

Sabretache dressa les oreilles.

— Qu'est-ce que c'est que ça encore ?

Solaris saisit sa massue et lutta pour se redresser.

— Les musaraignes de l'Ugmuray ! Elles arrivent par la mer ! À moi, l'Ugmuray ! hurla-t-il.

— Regardez, s'écria Duracuir, ils font passer un sale quart d'heure aux lascars planqués au bord de l'eau ! Par ici, les gars !

Sabretache se tourna vers Salamandastron.

— Hourra ! Là-bas, une équipe de loutres et d'écureuils règle son compte à la vermine !

Une immense clameur s'éleva au pied de la montagne.

— Yaaaah ! Youpiiii ! Par la turquoise de Sapion ! Et hop, hop, hop !

Surgissant par-derrière, des loutres et des écureuils attaquaient les troupes de Sigrif sur deux flancs avec des piques et des gourdins. Quant aux musaraignes de l'Ugmuray, elles remontaient le rivage en courant, taillant une brèche dans les rangs ennemis avec leurs courtes rapières.

Solaris sentit le sang de ses ancêtres bouillir

dans ses veines. Il chargea à son tour, à la tête cette fois de la patrouille des Coureurs de fond. Bientôt rejoints par les musaraignes, ils piétinèrent sans merci les archers retranchés au fond de leur trou, semant la pagaille dans les rangs.

Sigrif prit de nouveau la fuite, alors que ses troupes, démoralisées, s'égaillaient en tous sens. Les lourds vantaux de bois s'ouvrirent à toute volée. Solaris resta sur le seuil, massue brandie, jusqu'à ce que tous aient pu se mettre à l'abri à l'intérieur. On posta des guetteurs aux ouvertures, avec pour mission de surveiller la horde, puis le reste des guerriers se rassembla dans la salle des banquets.

Les cuisiniers avaient mis les petits plats dans les grands en l'honneur des guerriers de Salamandastron et de leurs nouveaux alliés. Des montagnes de pâtés, des barriques de bière, d'épais ragoûts épicés, du pain chaud et crous-tillant et du cidre nouveau furent disposés sur les tables ; ce soir-là, les convives surent faire honneur au buffet.

Solaris était attablé avec le colonel Sanpeur, Dugudule, les deux loutres Auban et Filin, Sabretache et ses lieutenants. Sanpeur agita sévè-rement la patte sous le nez de Solaris :

— Ahem, Sire, ayez l'obligeance de nous pré-venir, la prochaine fois que vous chargerez tout seul contre une horde armée jusqu'aux dents.

Le blaireau souverain secoua la tête, visible-ment penaud.

— Désolé, colonel, je n'étais plus moi-même.

L'officier cligna de l'œil et lui tapota la patte.

— Mmm, le fameux sang de vos ancêtres! Bah, ne vous excusez pas, c'est grâce à lui et aux blaireaux souverains que ce pays est libre et sûr. Mais nous autres lièvres, nous sommes responsables de votre protection, voyez-vous, comme vous nous protégez vous-même, et nous aimerions pouvoir remplir notre rôle. Quant à vous, Dug' la mus' et les loutres, vous avez réussi un joli coup tout à l'heure!

Dugudule expliqua comment l'idée leur en était venue:

— On a d'abord envoyé quelques éclaireurs pour savoir où vous en étiez, et puis on s'est mis d'accord entre nous. Mon cri était le signal d'attaque.

Auban relata à son tour sa part des opérations:

— On est arrivés par-derrière, avec cet affreux jojo de Filin et dame Sapience et sa bande…

Sapience, une femelle écureuil grande et élancée, avec une profonde cicatrice de l'oreille jusqu'au bout du nez, l'interrompit de sa voix rauque:

— Ouais, on s'est séparés et on leur a fait le vieux coup du mouvement en tenailles. En sandwich, la racaille! Et maintenant, y z'ont plus qu'à enterrer leurs morts!

Médard accrocha le regard de Solaris. Il se faufila vers lui et lui glissa à l'oreille:

— Sire, vous voulez bien venir voir Casse-cou? Le pauvre, il a le moral à zéro à cause de Pétale.

— Bien sûr, l'ami. Mais pourquoi Pétale ?

— Suivez-moi, je vais vous montrer.

Solaris s'excusa auprès de la compagnie et suivit Médard, se frayant avec lui un passage dans la salle bourrée à craquer. L'air était lourd des plaisanteries des vieux combattants en goguette.

— Eh, rigole, vieux maraud ! J'te croyais mort depuis des saisons !

— Eh ben, j'suis toujours là, mon poteau, et avec un bon coup d'fourchette pour le prouver !

— Alors, Manga, ça marche toujours les pirogues ?

— Bah tiens ! Ça nous évite de nous mouiller les pattes comme vous autres loutres.

Le silence régnait dans les caves glacées de Salamandastron, où Médard conduisit Solaris. Ils traversèrent une grande salle éclairée par des torches, dans laquelle on avait allongé sur des pierres plates les corps, couronnés de fleurs fraîches, des lièvres tués à la bataille. Cassis se tenait auprès de la dépouille de Pétale, tête basse. Solaris remercia son guide et se dirigea droit vers le jeune lièvre.

— Casse-cou, je suis désolé, je ne savais pas… dit-il en lui passant la patte autour des épaules.

Le lièvre enfouit son visage dans la cotte de mailles et fondit en larmes. Puis il regarda Solaris.

— Pourquoi faut-il qu'il y ait la guerre, qu'on se tue les uns les autres ? On ne pourrait pas vivre en paix tous ensemble? Pétale ne verra plus le soleil, elle ne rira plus jamais. Pourquoi?

Le blaireau souverain conduisit lentement Cassis vers la sortie.

— Pourquoi? C'est une question que je me suis bien souvent posée, Casse-cou. Surtout quand la vie d'un jeune est ainsi gaspillée. Depuis plusieurs saisons, j'ai le désir de me consacrer exclusivement aux travaux des champs; mais il y a des êtres malveillants sur terre. Un jour, quand nous aurons vaincu le mal, nous pourrons peut-être trouver la paix et regarder pousser nos cultures. En attendant, c'est aux braves comme toi de lutter contre le mal. C'est ce que faisait Pétale aujourd'hui. La guerre est une chose terrible, mais tant qu'elle est là, nous devons l'endurer et combattre de toutes nos forces pour faire triompher le bien.

Dans la salle des banquets, les guerriers avaient entonné la vieille rengaine qu'ils chantaient toujours après la bataille :

*Chantons pour les braves au combat tombés,*
*Au champ d'honneur, leur valeur ont prouvé.*
*Ils ont donné leur vie pour la patrie,*
*Buvons à ceux qui sont partis.*
*Hélas, ils ont payé le terrible prix.*
*Le sang a coulé, ce qui est dit est dit,*
*Ils ne deviendront jamais vieux,*
*Mais plus tard, au coin du feu,*
*Leur mémoire entre nous restera.*

Retranché près des rochers, Sigrif le Vicieux faisait griller un maquereau sur le feu. Il avait perdu plus d'un tiers de sa belle horde ce jour-là, mais la victoire était passée à sa portée. Ses soldats, accroupis autour des feux, étaient trop fatigués pour faire autre chose que manger, dormir ou lécher leurs plaies. Sigrif fixa le vieux volcan, se creusant les méninges à la recherche d'une solution.

Une heure plus tard, elle se présenta sous la forme d'une fouine que lui amena Mortifère.

Sigrif s'aperçut qu'il devait fixer le minuscule animal pour ne pas le perdre de vue. Maigre à faire peur, il avait une robe mouchetée, naturellement ou par suite d'un habile maquillage. Lorsqu'il restait immobile sur le sable ou contre un rocher, il se fondait presque totalement dans le décor. Sa fourrure était de couleur sable avec des taches allant du blanc sale au brun foncé. C'était la fouine la plus étrange que Sigrif ait jamais vue.

Le seigneur de la guerre fixa sa voyante.

— Où est-ce que t'as trouvé ça ? maugréa-t-il.

— On l'appelle le Spectre, Monseigneur. Il ne fait pas partie de la horde. Je ne sais pas d'où il vient, mais je vous conseille d'écouter sa proposition.

Sigrif chercha le Spectre des yeux : il l'avait perdu de vue.

— Bouge pas, la fouine ! Mais où est-ce qu'il est ?

Il essaya de ne pas sursauter lorsqu'une voix lui répondit dans le dos :

— Ici, Seigneurrrr !

Le Spectre flotta autour de Sigrif et vint s'asseoir près du feu. Il avait un drôle d'accent, roulant les *r* avec un bruit de tonnerre. Le regard planté dans ses yeux, Sigrif voyait son corps apparaître et disparaître dans la lueur vacillante des flammes.

— Reste tranquille et raconte-moi pourquoi tu es là.

La bouche tachetée s'ouvrit, découvrant une paire de gencives nues.

— Spectrrrrre entendrrrrre toi avoirrrrr ennemi. Moi tuer lui !

Sigrif dressa l'oreille. Il n'avait pas encore songé à recourir à un assassin. Il aurait bien aimé prendre Solaris vivant mais, après tout, l'essentiel était de parvenir à ses fins. Le seigneur de la guerre pointa sa patte gantée sur les yeux pâles et larmoyants :

— Et combien tu veux ?

— Moi crrrrroirrrrre toi savoirrrrr. Moitié, Seigneurrrr !

Sigrif savait ce qu'il voulait dire : le Spectre faisait référence à la moitié de ce que Sigrif pouvait gagner dans l'affaire. Le furet haussa les épaules.

— D'accord pour la moitié. Tu vois la montagne ? Il y a un blaireau dedans qu'on appelle Solaris le Formidable. Rapporte-moi la grande massue qui ne le quitte jamais et tu auras ta moitié !

Le Spectre s'évanouit dans la nuit. Sigrif regarda autour de lui et découvrit l'animal, assis dans son dos, un objet à la patte.

— Moi juste frrrrrapper blairrrrreau avec surrrrrin !

C'était un minuscule couteau taillé dans une drôle de pierre mouchetée, presque de la même couleur que son propriétaire.

Sigrif lorgna l'avorton et sa lame riquiqui avec une moue de dédain.

— Tu veux tuer un blaireau souverain avec ce jouet ?

Un sourire moqueur plissa les yeux pâles :

— Toi voirrrrr rrrrrat, là-bas, à côté de feu ? Rrrrregarrrrrde !

Le rat, qui portait un foulard rouge vif, était difficile à manquer. Sigrif le surveilla attentivement. Il avait perdu le Spectre de vue, aussi ne quittait-il pas des yeux le rat, assis avec ses copains auprès du feu. Soudain, il entendit la voix du Spectre à son oreille ; l'invisible fouine se réchauffait aux flammes.

— Un seul coup de surrrrrin, lui morrrrrt.

Le seigneur de la guerre regardait toujours le rat au foulard rouge.

— Pff, m'a pas l'air bien mort, lâcha-t-il d'une voix lourde de sarcasme. L'est en train de dévorer son maquereau à pleines dents, comme si c'était le dernier.

— Toi rrrrraison, Seigneurrrr, ça êtrrrrre le derrrrrnier pourrrrr lui !

Brusquement, le rat bondit, la patte collée à son cou ; il tituba un instant en gargouillant, puis s'effondra dans le sable, terrassé. Sigrif regardait, les yeux écarquillés, écoutant les commentaires des copains de la victime, qui avaient quitté le feu et se penchaient sur le corps.

— Qu'est-ce qui fiche, Gus?

— Ha, ha, ha! Tu vois pas qu'y pique un roupillon?

— Allez, Gus, arrête ton char, lève-toi!

Une belette s'agenouilla près du corps et l'examina.

— Il est mort, les gars! s'écria-t-elle. La vache, il était là à bouffer son poisson et, la seconde d'après, le voilà raide comme la justice!

Le Spectre avait changé de place. Il sourit à Sigrif de l'autre côté du feu.

— Maintenant, Seigneurrrr crrrrroirrrrre moi : un coup seulement, même pas vrrrrraie coupurrrrre. Surrrrrin avec poison jamais échouer!

Le seigneur de la guerre hocha la tête, admiratif.

— Le Spectre, hein? Alors, ça marche. Je te reverrai quand?

— Toi pas voirrrrr moi si Spectrrrrrre pas vouloirrrrr. Moi trrrrrouver toi quand boulot fini.

Sur ce, le Spectre se fondit dans la nuit.

Sigrif lança un maquereau grillé à Mortifère.

— Félicitations! Pour une fois, tu as fait du bon boulot. J'aime autant savoir le zébré mort, après tout. Au fait, tu sais ce que tu dois faire quand le Spectre reviendra.

— Oui, Monseigneur, sur le bout des griffes! répliqua la renarde.

## CHAPITRE IV

C'était le soir du jour où il avait dépouillé les loirs, et Sibyl commençait à trouver la marche difficile. Le jeune furet décida d'installer son camp sous des pins serrés. Il balaya les aiguilles, creusa un petit trou et, frottant un morceau d'amadou, alluma le feu. Accroupi près des flammes, il mangea du pain et du fromage tout en faisant rôtir une pomme. Il sommeillait, à demi inconscient, dans la tiédeur des pommes de pin et des brindilles incandescentes, lorsqu'un couple de renards arriva.

Sibyl fit d'abord mine de les ignorer.

Vaguement perplexe et peu sûr de lui, il afficha néanmoins un air arrogant, vérifiant que son couteau et son bâton étaient bien visibles. Les deux renards feignaient également l'indifférence. Ils s'accroupirent sans un mot de l'autre côté du feu. Ils étaient vieux, couverts de haillons, mais leur air fourbe ne disait rien qui vaille au furet. L'un portait une lance, l'autre une fronde et un sac de pierres. Serrant leur manteau en loques contre eux, toujours silencieux, ils lançaient de temps en temps un regard chargé de curiosité sur le furet solitaire.

Sibyl commençait à se sentir de plus en plus mal à l'aise. Il essaya d'engager la conversation avec ces visiteurs imprévus :

— Vous venez d'où, les gars ?

Le plus grand des deux cracha dans les flammes, manquant de peu la pomme de Sibyl.

— Curieux, le morveux, tu trouves pas, Bob ?

L'autre sourit d'un air mauvais, sans quitter le furet des yeux.

— Ouais, et pas malin avec ça, on a repéré son feu de loin. T'as vu, il a du pain et du fromage, et des pommes… On est tombés sur un rupin, mon vieux Billy !

Sibyl comprit qu'il ne pouvait pas laisser la situation se dégrader plus que ça. Saisissant son bâton, le couteau brandi dans l'autre patte, il se dressa en vociférant :

— Garez vos sales pattes galeuses de mes provisions, j'ai pas peur de vous, vieux chiffons !

Les renards contournèrent le feu chacun d'un côté, venant encadrer Sibyl. Le dénommé Bob retroussa ses babines sur quelques noirs chicots :

— La jeunesse n'a plus d'respect, Billy. Galeux, vieux chiffons… En voilà un effronté !

Son compère piqua soigneusement la pomme rôtie du bout de sa lance et la retira du feu ; puis il souffla dessus et croqua un morceau.

— Mmm… Remarque, y sait faire cuire les pommes !

Sibyl lui arracha la lance, la voix tremblante de colère :

— Laisse ma pomme, sale vieux… Ouch !

Il avait fait l'erreur de tourner le dos à Bob. La fronde du vieux renard, lestée d'une lourde pierre, s'abattit par-derrière sur son crâne et le jeune furet s'effondra.

Sibyl reprit lentement connaissance, gémissant sous les coups de boutoir de la douleur dans son crâne. Il avait les deux pattes tendues au-dessus de la tête, attachées à une branche de pin.

Les deux renards dévoraient ses provisions, se bourrant sans scrupules de pain et de fromage. Bob avala une gorgée au goulot de la gourde. Il la recracha aussitôt avec une grimace de dégoût :

— Pouah ! De l'eau ! T'as pas du vin ou de la bière, jeunot ? L'eau froide me reste sur l'estomac en ce moment.

Billy fourragea dans le sac de voyage volé par Sibyl au vieux Nono.

— Y a rien là-dedans, Bob, juste une vieille couvrante et d'aut' pommes. Tu nous reçois plutôt mal, furet!

Luttant pour desserrer ses liens, Sibyl leur lança un regard plein de haine :

— Vous savez pas à qui vous parlez! Je suis Sibyl Sigrif, fils du seigneur de la guerre Sigrif le Vicieux!

— Oh, mille pardons, ha, ha, ha! Votre graaandeur! répliqua Billy avec une profonde révérence.

Il déchira un pan de la couverture et bâillonna solidement le furet, lui écrasant le nez et les oreilles.

— Fils d'un seigneur de la guerre, rien que ça! Et moi, je suis le cousin d'un aigle et d'un grand poisson. Et toi, Bob?

— Moi? Oh, je suis la reine du Val-Fleuri. Ravi de faire votre connaissance, majesté!

Les deux compères se tordaient de rire. Forcé de se tenir sur la pointe des pattes, ligoté, bâillonné, Sibyl ne pouvait que les fusiller du regard et pousser en retour de sourds gémissements de rage.

Le ciel matinal se teinta de gris, des nuages sombres s'amassèrent et une pluie serrée se mit à tomber. Capucine et Gontran rassemblèrent leurs affaires en vitesse, fuyant leur bivouac à ciel ouvert dans les collines. La taupe détestait la pluie.

— C'est qu'on va êtrre trrempés jusqu'aux os si on trrouve point d'abrri, mam'zelle. Y a qu'les poissons qu'aiment l'eau !

La souricelle désigna le bois de pins au loin :

— Viens, on va s'abriter là-bas le temps que la pluie s'arrête.

Gontran fila, les deux pattes sur la tête, criant à Capucine par-dessus son épaule :

— J'allions vous prréparrrer un bon feu et démarrrer le p'tit déjeuner. C'est que j'avions un sacrré crreux à l'estomac, moué !

— Attends-moi ! cria la souricelle, courant en riant derrière lui. T'es pas en sucre, tu vas pas fondre !

— Oh, ça, mam'zelle ! C'est point sûrr du tout !

Le sol était sec sous les pins serrés qui laissaient à peine filtrer une lumière diffuse. Les deux amis s'ébrouèrent et ouvrirent leur sac. Soudain, Capucine s'interrompit, le nez au vent.

— De la fumée, dit-elle, il y a quelque chose qui brûle.

Gontran retroussa son museau en trompette.

— C'est pourrtant vrrai, mam'zelle Capucine, y a comme qui dirrait quelqu'un qu'a allumé un feu quelque part.

La souricelle referma le sac et le jeta sur son épaule.

— C'est peut-être Sibyl… ou peut-être pas. Allons-y doucement, Gontran, sans nous faire repérer. Voyons à qui appartient ce feu.

Suivant l'odeur des pommes de pin roussies, ils se faufilèrent sans bruit entre les arbres.

Capucine aperçut la première la lueur des flammes. Veillant à ne pas écraser de brindilles sous leurs pattes, les deux amis s'allongèrent à plat ventre sur le souple tapis d'aiguilles et jetèrent un œil sur la scène en contrebas.

Bob et Billy terminaient le reste du pain, jetant des trognons de pomme sur une silhouette ligotée suspendue à une branche.

Capucine saisit la patte de Gontran.

— Regarde, c'est Sibyl! Les renards ont dû le capturer!

— Pourr sûrr, mais ils m'ont point l'airr commodes…

Capucine examina la situation :

— Mmm, ils sont armés, on ne peut pas les affronter en combat singulier. Mais je crois que j'ai une idée.

Billy lança une poignée de brindilles dans le feu et s'allongea nonchalamment, les yeux fixés sur Sibyl.

— Tu crois que ce seigneur de la guerre serait prêt à payer une rançon pour récupérer son chéri entier ?

Bob le considéra avec pitié :

— T'es ramolli du cerveau, mon pauv' vieux. La seule chose qu'un seigneur de la guerre te donnerait pour avoir capturé son lardon, c'est ta tête sur un plateau… Ouille !

Une pomme de pin verte, dure comme une

pierre, venait de heurter le nez du renard. Un instant plus tard, une autre rebondissait sur la mâchoire de son compère.

Billy saisit sa lance et gronda :

— Qui est-ce qui s'amuse à lancer des pommes de pin ? Aïe !

Cette fois, le projectile l'avait atteint en plein dans l'œil. Bob allait attraper sa fronde, quand une nouvelle pomme de pin lui percuta la patte.

— Ouille, ouille, ouille ! Aïe ! Mais arrêtez d'lancer ces cochonn… Aïe !

Il tomba à la renverse, la patte à la bouche, et recracha une dent.

Les pommes de pin pleuvaient dru maintenant, sans jamais manquer leur cible. Les renards, effrayés et roués de coups, ne savaient plus où se cacher ; les projectiles semblaient s'abattre sur eux de toutes parts. Les deux infortunés se cramponnèrent l'un à l'autre, essayant de se protéger de l'infernale pluie de pommes de pin, jusqu'à ce que Bob se mette à hurler :

— Arrêteeez ! On s'en vaaa !

Pif ! Paf ! Les pommes de pin pleuvaient toujours. Les deux renards n'en pouvaient plus.

— Aaaah ! Fichons l'camp d'i… Ouille ! Aïe !

Ils décampèrent à travers bois jusqu'en terrain découvert, sautillant et boitillant de douleur, insensibles à l'averse.

Gontran débarqua parmi les pins, s'arrêtant sur son derrière, les bras ballants.

— Oh, mes aïeux ! C'est qu'mes pauvrres'

pattes vont s'décrrocher si j'lancions encorre une seule d'ces satanées pommes de pin!

Capucine s'étirait péniblement pour atteindre les cordes qui liaient les pattes de Sibyl à la branche.

— Sibyl, mon pauvre Sibyl! s'émut-elle.

À peine libéré, le furet arracha son bâillon et cria avec colère à la souricelle :

— Par la griffe et la dent! Mais pourquoi tu m' suis, bon sang?

Ignorant le regard blessé de sa mère adoptive, il poursuivit :

— Toujours à m'espionner, hein? Tu peux pas me laisser tranquille?

— Mais... mais... on t'a sauvé la vie, bre-douilla Capucine, désemparée par la réaction de son protégé. Ils auraient peut-être fini par te tuer!

Le jeune furet tournait sous les pins comme un lion en cage, massant ses pattes engourdies pour réactiver la circulation.

— Eh ben, j'avais pas besoin d'être sauvé, figure-toi! J'allais me débarrasser de ces cordes et attraper la lance. Je suis assez grand pour me débrouiller tout seul, sans toi et l'autre abruti tou-jours à me surveiller comme un bébé.

Gontran secoua sa lourde patte dans sa direc-tion.

— Surrveillez donc votrre langage, Messirre! En v'là un ingrrat! Mam'zelle Capucine, elle a toujourrs été bonne pourr vous.

— Ah ouais? rétorqua Sibyl en se laissant

tomber près du feu. Et où elle était quand ils m'ont viré de l'abbaye ? Je vais te le dire : avec ses saintes nitouches d'amis, voilà où elle était. Quand ils m'ont banni, personne n'a fait un geste pour m'aider.

Capucine posa gentiment la patte sur son épaule.

— Tu te trompes, Sibyl, vraiment. J'ai toujours été ton amie, je t'aime plus que tout au monde !

Le furet se dégagea et, bondissant sur ses pattes, attrapa son bâton et son paquetage.

— Fichez-moi la paix, vous deux ! Allez, retournez dans votre chère abbaye et passez vos soirées à baver sur moi ! Ouais, c'est ça, sur cette racaille de Sibyl le Banni !

Gontran s'interposa entre le furet et la souricelle, repoussant Sibyl d'un coup de patte.

— Allons, vous êtes qu'un voyou. C'est-y des façons d'parrler tout d'même !

Sibyl fonça sur lui.

— Hors de mon chemin ! beugla-t-il en le bousculant violemment.

La pauvre taupe perdit l'équilibre, sa tête heurtant un rocher dans sa chute. Se jetant sur Sibyl, Capucine se mit à le bourrer de coups de poing mais, pressé de s'échapper, le furet la renversa à son tour. La souricelle se traîna à quatre pattes auprès de la taupe inanimée.

— Gontran, tu es blessé ? Sibyl, si tu as fait du mal à ce brave…

Mais elle parlait dans le vide. Sibyl s'était emparé de leur dernier sac de provisions et filait maintenant entre les pins.

La souricelle s'assit près du feu et souleva en pleurant la tête de son ami entre ses pattes. Les paupières de Gontran papillonnèrent, puis il leva faiblement sa grosse patte plate pour essuyer une larme au bout du nez de Capucine.

— J'avions crru qu'y pleuvait encorre. Oh, ma pauvrre tête, c'est qu'elle m'fait bien mal !

La souricelle sécha ses larmes et serra son ami contre elle.

— Oh, Gontran ! Dieu merci, tu es vivant !

— Parrdi ! C'est qu'j'étions un vrrai durr, moi, avec c'te bosse surr l'crrâne grrosse comme une montagne, et vous qui m'écrrasez les côtes !

La pluie avait cessé. Un vent léger se leva ; il était bientôt midi lorsque Sibyl repéra les deux vieux renards. Au pied des collines, une rivière grossie par la pluie étirait ses méandres à travers la plaine. Les renards avaient établi leur camp sur l'une de ses rives et bassinaient les plaies causées par les pommes de pin à l'aide de cataplasmes d'herbe humide. Lorsqu'ils virent Sibyl, il était trop tard. Levant son bâton à deux pattes, le furet l'abattit de toutes ses forces sur la nuque de Bob. Puis il saisit la lance du défunt et la planta dans le corps de Billy.

Il roula les deux cadavres jusqu'à la rivière et les regarda disparaître, emportés par les flots.

— Quand vous serez arrivés à la forêt des ténèbres, dites que c'est Sibyl le Banni qui vous envoie !

La rivière coulait vers l'ouest. Sibyl suivit la rive, finissant par trouver ce qu'il cherchait : le tronc d'un vieux saule abattu, qui avait échoué là à la sortie de l'hiver. À l'aide de sa lance, il le fit basculer dans l'eau et grimpa dessus. À cheval sur son vaisseau de fortune, emporté vers l'ouest, le jeune furet déjeuna de pains au lait et de fruits confits trouvés dans le sac tout en regardant les montagnes qui se dressaient à l'horizon devant lui.

Capucine empêcha Gontran de repartir avant le milieu de l'après-midi. Lorsqu'ils quittèrent enfin le bois de pins, elle confectionna une compresse d'oseille sauvage, encore trempée de pluie, et la lui posa sur le front. Les deux amis se remirent en route, tenaillés par la faim et le moral au plus bas.

Ils arrivèrent près d'une rivière et installèrent leur bivouac sur la berge, puis Capucine remouilla le cataplasme de son ami. Face à eux, le terrain descendait doucement jusqu'à une prairie déserte, couverte d'herbe. La souricelle et la taupe se blottirent derrière un monticule, à l'abri du vent ; il y faisait chaud, le soleil brillait. Gontran ronfla bientôt paisiblement ; les yeux de Capucine se fermaient à leur tour lorsqu'elle entendit une voix grave chanter au loin.

Un large radeau encombré, surmonté d'une

cabane en rondins dont la cheminée fumait, apparut au détour de la rivière. Un gros hérisson à la mine réjouie manœuvrait la godille.

Capucine pataugea dans l'eau en agitant les pattes.

— Ohé! Du bateau! Euh… du radeau! Vous avez de la place pour deux passagers?

Le gros hérisson lui adressa un large sourire, révélant une superbe rangée de dents blanches.

— Salut, petite madame! Gare à vous, j'm'en vas accoster!

Aussitôt dit, aussitôt fait, le radeau pivota et vint se ranger contre la berge.

— Deux, vous dites? reprit le hérisson. Où est l'autre alors?

— Ici, messirre! Mais j'étions qu'une pauvrre taupe ben abîmée!

Gontran apparut derrière le monticule, se tenant la tête.

Une petite hérissonne au corps sec et nerveux jaillit de la cabane, sa jupe bouffant sur tout un tas de jupons.

— Nom d'une pique! s'exclama-t-elle. Qu'est-ce qu'est donc arrivé à vot' caboche? Z'êtes tombé?

Gontran tapota doucement le cataplasme sur son front.

— J'allions tout vous rraconter, m'dame, mais là, tout d'suite, j'avions trrop faim pourr bavarrder.

Aussitôt, la hérissonne tapa un grand coup dans le dos de son mari.

— Nom d'une canette! Reste pas là planté

comme une potiche, Doudou Picaillon. Fais monter cette pauv' taupe et la souricelle à bord, qu'on puisse les nourrir comme y faut!

— Tout c'que tu voudras, Mirette, mon joli p'tit roseau.

La cabane était rustique, avec sa nappe et ses rideaux de couleurs vives, ses épaisses nattes claires et son gros poêle carré, sur lequel mijotaient de la soupe et du ragoût. Capucine et Gontran s'installèrent à la table en demi-lune, sous la fenêtre, tandis que les hérissons leur servaient de la betterave et du vin de framboise pour les faire patienter. Mirette Picaillon s'affairait aux fourneaux; Doudou, son mari, chassa d'un geste leurs deux bébés, Clotilde et Clovis.

— Débarquez, mes p'tits canards, allez, vous pouvez jouer sur la berge pendant que vot' chère maman et moi-même on fait à manger.

Capucine et Gontran se présentèrent, racontant leur histoire à leurs hôtes tandis que ces derniers préparaient le repas. Doudou goûta la soupe du bout de sa cuillère, claqua plusieurs fois des lèvres, puis marmonna :

— Pas assez d'fenouil… J'adore cette plante, elle a un goût! Bon, laissez-moi vous dire un truc, les jeunes. Vot' furet a dû descendre la rivière, s'il a un grain de bon sens. C'est la meilleure route : on s'fait pas mal aux pattes, ça grimpe jamais et on peut même emporter sa maison.

Mirette posa une miche de pain frais sur la table, écartant d'une tape la patte de Gontran.

— Nom d'une écrevisse! Il est pire que mon Doudou! Vous pouvez rester avec nous aussi long-temps qu'il vous plaira, mais si vous touchez au pain avant qu'j'aie fini de mettre la table, gare à vous! J'vous transforme en saucisson! Compris?

La hérissonne fixa sur Gontran un regard d'avertissement. Le jeune gourmand hocha la tête.

— Comprris, m'dame, vous m'trransforrmez en saucisson si j'touchions au manger avant qu'ça soit prrêt.

Une fois le repas servi, on rappela les deux petits et Doudou repoussa le radeau dans le cou-rant, le laissant dériver doucement, godille arri-mée, tandis qu'ils mangeaient.

Il y avait du potage au cresson et au navet, du pain de campagne chaud, un bon ragoût de poi-reaux, champignons et fromage, et pour finir un roulé à la confiture de mûres nappé de crème fraîche. Repus, les hérissons et leurs invités siro-tèrent ensuite une tisane de bourrache* et d'églantine. Doudou sortit sur le pont pour sur-veiller la godille, tandis que la petite Clotilde réci-tait un poème appris avec sa maman.

Son frère Clovis allait lui lancer un pépin de pomme quand il croisa le regard sévère de sa mère. Il haussa les épaules avec philosophie.

— Pardon, m'man. Feux pas être tranfformé en faufiffon.

---

* Bourrache : plante à grandes fleurs bleues, dont les feuilles sont utilisées en tisane.

— Ohé, là-dedans, m'sieur-dame! V'nez donc voir un peu sur l'pont!

Au son de la voix de Doudou, Capucine et Gontran quittèrent la table. Mirette fixa un regard inflexible sur les deux petits, qui s'étaient à demi levés.

— Nom d'une rhubarbe! Qui vous a dit de vous l'ver?

Clovis se laissa choir à sa place d'un air morne, fendant l'air à plusieurs reprises avec sa patte.

— Ve fais: le faufiffon.

Les corps des deux vieux renards étaient pris dans les branches d'un buisson à la sortie d'un méandre.

— Quelle fin terrible, même pour des voyous comme eux, dit Doudou en désignant les corps.

Gontran hocha la tête d'un air entendu.

— J'parrions un gland contrre une pomme qu'messirrre Sibyl est passé parr là!

Capucine agita la patte vers lui avec réprobation.

— Oh, Gontran, comment peux-tu dire une chose pareille? Jamais Sibyl ne les aurait tués! Peut-être n'est-ce qu'un terrible accident.

Gontran se détourna et rentra dans la cabane en marmonnant:

— Mouais, et p't-êtrre qu'y neigerra aussi ce soirr, en plein milieu d'l'été!

La nuit suivante, alors que Sibyl dormait sur son tronc d'arbre, un courant latéral le détourna du lit principal de la rivière. Le vieux saule s'engagea dans le bras secondaire, emportant son passager vers les montagnes où l'attendaient de redoutables rapides.

## CHAPITRE V

La même aube pluvieuse qui avait chassé Capucine et Gontran vers le bois de pins venait de se lever sur Salamandastron. Misérablement recroquevillés contre les rochers, les membres de la horde protégeaient tant bien que mal leurs feux fumants du déluge. Sigrif était accroupi avec Mortifère et quelques-uns de ses lieutenants sous une vieille bâche fixée au flanc des rochers. Les compagnons du seigneur de la guerre se taisaient, ne sachant dans quel état d'esprit se trouvait leur maître. Le furet et sa voyante surveillaient la montagne, dont le sommet disparaissait dans la brume, songeant sans se consulter à la même chose. Le Spectre était-il déjà dans la forteresse, prêt à frapper leur ennemi, Solaris, de sa terrible lame de pierre?

Pour l'heure, le tueur se reposait, pantelant, sur une étroite corniche à mi-hauteur de la paroi, sous la fenêtre de Solaris. S'il pouvait se mouvoir à une vitesse étonnante sur de courtes distances, il était de faible constitution. Par chance, il était doué d'un esprit vif et le camouflage n'avait pas de secrets pour lui, mais il manquait de force et d'endurance. Essuyant la pluie de ses yeux pâles, le Spectre jeta un regard vers le haut. Le brouhaha d'un joyeux petit déjeuner parvint jusqu'à ses oreilles trempées. Après avoir vérifié que son couteau de pierre était bien à l'abri dans sa gaine, la minuscule fouine reprit péniblement son ascension le long de la paroi glissante, battue sans relâche par l'averse.

Auban et Filin, les deux farceurs, déboulèrent dans la salle à manger, le ventre creux après leur garde de nuit. Jouant des coudes, ils s'intallèrent à côté de Solaris et se mirent à dévorer ses galettes d'avoine fumantes.

— Pousse-toi de là, vieil épouvantail, laisse deux pauvres affamés se nourrir! On est prêts à battre n'importe qui à plate couture, tellement on a les crocs!

Le grand blaireau poussa vers les deux goinfres une tourte aux mûres et du thé à la menthe, tout en commentant d'un air faussement pincé:

— Eh, faces de crapauds, vous n'êtes que des débutants question estomac. Vous voyez Porto, le gros levraut là-bas ? En voilà un qui sait manger : il est capable d'avaler deux fois plus que vous avant même d'être servi !

Les deux loutres le regardèrent, fascinées, oubliant du coup leur propre repas. En un clin d'œil, l'insatiable lièvre engloutit une tarte aux pommes entière, une assiette de fruits secs, un grand pichet de mousseux à la fraise et un énorme pâté de carottes et de champignons.

Filin hocha la tête, admiratif :

— Quel estomac ! Allez viens, mon pote, allons faire connaissance avec ce sac à provisions ambulant, on va rigoler !

Après le repas, Solaris monta dans sa chambre, où il retrouva Sabretache et le colonel Sanpeur. Debout près de la fenêtre, ils contemplaient la plage battue par la pluie et les soldats trempés jusqu'aux os, serrés autour de leurs feux crachotants entre les rochers. Polissant son monocle, le colonel pointa une oreille vers le ciel.

— Sacrée vieille pluie ! Rien de tel pour liquéfier le moral des troupes.

Sabretache frappa du plat de la patte sur la poignée de son sabre.

— Peut-être, chef, mais que va-t-il se passer quand ce charmant déluge cessera ? Hein ?

Le blaireau souverain ne laissa pas le temps à Sanpeur de répondre :

— On attaque ! On laisse le strict minimum

de défenseurs ici et on prend tous les autres, armés jusqu'aux dents, pour livrer bataille à l'ennemi. On ne peut rêver meilleur moment, puisque nous avons les musaraignes, les loutres et les écureuils en renfort.

Calant son monocle sur sa pommette, Sanpeur confirma :

— Excellent plan, Monseigneur, j'allais d'ailleurs émettre la même suggestion.

Le Spectre était parvenu sous le large rebord de la fenêtre. Hors d'haleine, toujours harcelé par la pluie, il écouta ce qui se disait à l'intérieur. D'un rapide coup d'œil, il s'assura que Solaris se tenait tout près de l'ouverture. Il décida d'agir dès qu'il aurait retrouvé son souffle et ses moyens, afin de frapper vite. Tirant son poignard empoisonné, il le protégea soigneusement de la pluie avec sa patte. Il n'aurait plus qu'à bondir sur l'appui de la fenêtre et à frapper le blaireau à la vitesse de l'éclair.

Gloussant comme des gamins, Auban et Filin firent irruption dans la chambre et se mirent à fouiner dans les coins avec frénésie.

Solaris ne put s'empêcher de sourire.

— Pardon de vous déranger, messieurs les épouvantails à crapauds, mais peut-on savoir ce que vous cherchez dans ma chambre ?

Les compères s'expliquèrent entre deux éclats de rire :

— Ha, ha, ha ! Tu aurais dû voir la tête de ce vieux Porto !

— Ho, ho, ho! On lui a fait le coup de la crème pierrette!

— Ouais! On lui a dit qu'y avait rien de meilleur que la crème pierrette des loutres. Et ce goinfre de Porto, y pouvait plus attendre, y fallait qu'il y goûte tout de suite!

— Alors on s'est glissés dans la cuisine et on a recouvert quelques pierres de crème fraîche. Pour la fameuse crème pierrette, tu saisis?

Solaris étouffa un gloussement.

— Il n'en a pas mangé, quand même?

Filin et Auban s'accrochèrent l'un à l'autre, morts de rire.

— Hi, hi, hi, hi, hi! Le pauvre vieux en a gobé une avant qu'on ait pu l'arrêter. Ah, t'aurais vu sa tête, ho, ho, ho!

Le colonel Sanpeur tiqua, manquant de faire tomber son monocle.

— Mmm, très drôle, en effet. Mais si j'étais vous, je filerais ou je me cacherais en vitesse: j'entends le jeune Porto arriver et, à mon avis, il n'a pas l'air d'apprécier beaucoup votre petite plaisanterie.

— Grrrr! Je vais leur en donner, moi, de la crème pierrette! Où sont ces deux coquins à queue plate, que je les écorche vivants?

Filin et Auban se précipitèrent derrière Solaris, tentant de se fondre dans son large dos. Porto, la bouche tartinée de blanc, un gâteau à la crème pierrette dans chaque patte, apparut sur le seuil, figure vivante de l'indignation.

— Montrez-vous, infâmes! hurla-t-il.

Un gloussement dans le dos de Solaris trahit les deux loutres et le lièvre, outragé, eut soudain l'impression que le grand blaireau se tenait sur six pattes. Il leva les deux pierres à la crème. Comprenant ce qui allait se passer, Solaris plongea, laissant Filin et Auban exposés à la vengeance du lièvre.

Ce n'était pas le jour de chance du Spectre. Alors que la fouine à la fourrure mouchetée se dressait, un éclair de triomphe au fond de ses yeux pâles, levant à bout de bras son poignard empoisonné, Porto lança les pierres couvertes de crème sur les deux loutres, qui s'aplatirent à la vitesse de l'éclair.

Pif! Paf!

Les projectiles heurtèrent de plein fouet la face du Spectre. Instinctivement, le tueur leva ses pattes avant de basculer en silence dans le vide. Avec un dernier bruit sourd, son corps s'écrasa sur les rochers. Mollement drapé sur la pierre luisante de pluie, les yeux fermés, le cadavre de celui qu'on appelait le Spectre était quasi invisible.

Sabretache fusilla Porto et les deux loutres d'un regard hautain, de l'air d'un officier en colère.

— Je vais compter jusqu'à trois. Si d'ici là vous n'avez pas trouvé un autre endroit pour vos jeux stupides, vous serez consignés : deux tours de garde d'affilée pendant trois nuits. Compris?

Trois saluts précipités, le martèlement de six pattes sur le sol et le claquement de la porte annoncèrent le retour au calme.

Le colonel Sanpeur essuya furieusement son monocle.

— Doit y avoir quelque chose qui cloche dans ce fichu machin! J'ai cru voir un représentant de cette sale vermine, à l'instant, là, debout sur la fenêtre. Étrangement confondant, non?

Solaris toussota poliment, interceptant un signe de tête de Sabretache.

— Oh, mais certainement, colonel! J'ai vu quelque chose, moi aussi. Ça doit être un reflet de la mer ou une illusion d'optique. Qu'en penses-tu, Tache?

Le grand lièvre se pencha à la fenêtre.

— Bien sûr, chef, on a déjà vu plus bizarre par ici, et plutôt deux fois qu'une, n'est-ce pas? Oh, tiens donc, on dirait que cette bonne vieille pluie commence à s'essouffler. Regardez : voici le soleil!

De minces volutes de vapeur s'élevaient vers le ciel tandis que le soleil de midi réchauffait la plage. Sigrif le Vicieux se leva, son poing ganté de fer cognant nerveusement contre la garde de son épée.

— On aurait dû entendre quelque chose. Si ce Spectre est aussi efficace qu'il le prétend, le blaireau devrait être mort à l'heure qu'il est.

Mortifère s'écarta habilement d'un pas, se plaçant hors de portée du gant de fer.

— Il faut attendre, Seigneur.

Sigrif se retourna vers elle.

— Redis ça encore une fois, renarde, et je te serre la queue en écharpe autour du cou !

Le seigneur de la guerre reporta son attention sur ses troupes, qui pataugeaient près du rivage dans l'espoir d'attraper des poissons.

— Pfff ! Non mais regarde-moi cette bande de péquenauds ! Y pêchent mieux qu'y se battent ! Occupe-toi de me faire apporter les plus belles prises… Mais où est donc passé ce satané Spectre ?

Immobiles et silencieux, les guerriers de Salamandastron regardaient les battants de bois brut de la grande porte s'écarter en grinçant. Solaris le Formidable les conduisit dehors, revêtu de sa seule tunique de mailles, sa grande massue pendant au bout de son bras. Dame Sapience, chef des écureuils, avait pris la tête de l'aile gauche avec Auban et Filin. Dugudule, flanqué des hases Félicie et Habila, menait l'aile droite. Sabretache et Duracuir marchaient au centre, juste derrière Solaris. Écureuils, loutres, lièvres et musaraignes avançaient lentement mais sûrement, sombres et déterminés, leurs pattes nues foulant sans bruit le sable.

Sigrif s'était détourné ; adossé aux rochers, les yeux mi-clos, il savourait le retour du soleil et de la douceur après le déluge du matin. Une belette sortit de l'eau, un maquereau zébré d'argent se débattant au bout de sa lance. L'heureux pêcheur leva la tête vers la plage et se figea. Oubliant pique et poisson, il se mit à hurler, la patte tendue :

— Ils arrivent !

Sigrif se releva d'un bond et dégaina son épée.

— À moi, mes lieutenants ! Sortez de l'eau ! Que chacun se tienne prêt ! En position !

Cassis marchait à côté de Porto. Il entendit les cris au bout de la plage et vit les membres de la horde courir en tous sens.

— Ça y est, ils nous ont vus, mon vieux Porto.

Le regard droit, Sabretache lança calmement ses ordres :

— Ne courez pas, mes mignons, pas encore. Continuez à marcher au coude à coude, y a rien de tel, et gardez vos armes basses pour ne pas blesser le camarade qui marche devant vous. Vous êtes prêt, Sire ?

La réponse de Solaris parvint à tous dans les rangs, dans un profond rugissement :

— Prêt ! Suivez-moi !

La horde s'était massée à la limite du sable sec. De nouveau, les lances brillaient au soleil, les tambours battaient, les conques marines sonnaient et les bannières flottaient au vent chaud de midi. Sigrif se plaça à l'arrière. Grimpant sur un rocher, il s'adressa à la renarde à ses pieds.

— Bon, on a eu des pertes hier, mais on est encore trois fois plus nombreux qu'eux. Le blaireau est toujours vivant, je vais pouvoir tenir mon serment. Ce sera moi, Sigrif le Vicieux, qui le tuerai !

Porto serra la patte de Cassis.

— C'est parti, mon Casse-cou. Bonne chance, vieux, et montre-leur de quel bois on se chauffe !

Solaris leva à demi sa massue.

— Allongez le pas ! ordonna-t-il.

L'allure s'accéléra, tandis que Sabretache et les autres officiers criaient :

— Restez en formation, armes basses ! Attendez le signal !

Solaris leva plus haut sa massue et hurla :

— Au pas de course, maintenant !

Les guerriers de Salamandastron prirent le trot, leurs pattes martelant le sol de plus en plus vite.

— Archers, sur les flancs et à l'arrière ! Préparez-vous : tirez !

Un large croissant de flèches s'envola en vrombissant par-dessus les têtes, en direction des premiers rangs de la horde.

Solaris brandit sa massue à bout de bras.

— Chaaaargeeeez !

Fonçant tête baissée, les guerriers de Salamandastron relevèrent leurs armes. Les lances et les javelots étincelèrent, les épées et les rapières luirent de mille feux. Par-dessus le sourd grondement des pattes sur le sol, de sauvages cris de guerre et de ralliement s'élevèrent dans le ciel d'azur.

— Iiiiioulaliiiiie ! Dugudugudugudule ! Par la turquoise de Sapion ! Hop, hop, hop ! Par le sang et le vinaiiiigre !

Les troupes ennemies cognèrent leurs boucliers en cadence, hurlant en retour :

— Si-grif ! Si-grif ! À mort Solariiiis !

Tel un raz-de-marée s'écrasant sur une barre rocheuse, l'armée de Solaris s'abattit sur les premiers rangs de la horde, la force du choc faisant reculer ces derniers d'une bonne dizaine de pas. Déchaîné, le blaireau souverain s'enfonça dans les lignes ennemies, se frayant un chemin à coups de massue vers Sigrif, qu'il apercevait au loin sur son rocher. Sabretache le suivit avec ses troupes, soucieux cette fois de protéger les arrières de son souverain.

La puissante horde avait absorbé le choc initial de la charge et commençait maintenant à repousser les braves de Salamandastron, dont beaucoup tombaient sous les coups de l'ennemi. De son côté, dame Sapience se débrouillait plutôt bien ; formant un triangle avec Auban et Filin, elle faisait passer un mauvais quart d'heure au flanc droit de la horde, pénétrant peu à peu dans les rangs dans l'espoir de rejoindre Solaris, dont l'énorme silhouette, facilement repérable, était comme une charrue labourant le champ de lances. Cassis chancela, une flèche plantée dans l'épaule ; Porto trébucha et tomba sur lui. Il se retourna : un rat de mer brandissait un immense cimeterre au-dessus de sa tête. Le rat poussa un cri et s'effondra, raide mort, sur Porto. Auban retira son javelot du cadavre pendant que Filin aidait les deux lièvres à se relever. Il cligna de l'œil à Porto.

— Debout, mon pote, ça doit être le poids de

la crème pierrette qui t'a fait tomber. Emmène Casse-cou à l'abri, derrière nos archers, on se reverra plus tard. Allez, hop, hop, hop! Par la turquoise de Sapion!

De l'autre côté, la horde chargeait les musaraignes. Attaquer de minuscules guérilleros munis de petites rapières était plus amusant que d'affronter les lièvres, mais c'était compter sans une vieille manœuvre baptisée le «moulin de l'Ugmuray». Trois cercles serrés de guérilleros tournaient sans discontinuer, le premier frappant à hauteur des pattes, le deuxième à l'estomac, et le troisième au cou et à la tête. Les terribles petites rapières pointaient et se retiraient sans relâche, fauchant tout sur leur passage.

En équilibre sur la pointe des pattes, Sigrif hurla depuis son rocher:

— Ils reculent, renarde! Je te l'avais bien dit: on a l'avantage du nombre!

Mortifère grimpa à ses côtés pour apprécier la situation.

— Oui, Monseigneur, mais au centre seulement. Et uniquement parce que le blaireau s'est emballé, ce qui leur permet de se replier autour de lui. Regardez les flancs: la horde fléchit et cède du terrain des deux côtés. On a peut-être plus de bras, mais ils ont plus de cœur!

Sigrif l'envoya bouler d'un coup de pied.

— Quand je voudrai ton avis, je te sonnerai. Va me chercher un arc et des flèches, le blaireau sera bientôt à ma portée.

Solaris, à travers le brouillard rouge flottant devant ses yeux, ne voyait que le furet, perché sur son rocher au bord de l'eau. L'exceptionnelle dextérité du blaireau à la massue semait la mort autour de lui. En haut, en bas, à gauche, à droite, le terrible gourdin était partout, tournoyant à toute vitesse, faisant voler en éclats épées, lances et poignards ennemis. Sabretache gardait prudemment ses troupes en arrière du blaireau enragé. Duracuir se battait aux côtés d'Habila : ils s'élançaient ensemble et, prenant appui sur leurs lances, s'élevaient au-dessus de la racaille, balançant de terribles coups de patte.

L'ennemi se défendait férocement, avec l'énergie du désespoir. La plupart étaient des combattants endurcis, bien décidés à repousser l'attaquant et à gagner la montagne, synonyme pour eux d'abri, de nourriture et de butin. Mais Mortifère avait vu juste : les défenseurs de Salamandastron avaient du cœur. Les choses commencèrent à se gâter pour la horde quand les musaraignes réussirent une percée jusqu'au centre, rejoignant les lièvres et les écureuils de dame Sapience. Les flancs de la horde définitivement enfoncés, les attaquants se regroupèrent. Laissant les archers des lignes arrière s'occuper des derniers rats sur les côtés, les forces de Salamandastron se mirent à avancer vers Solaris, poussant un long et puissant cri :

— Iiiiioulaliiiiie !

Sigrif jura ; sa flèche venait de se planter dans

la nuque d'un rat de mer alors qu'il visait Solaris. Il banda de nouveau son arc et tira. Cette fois, il ne manqua pas sa cible : le trait s'enfonça dans l'épaule du blaireau souverain, juste à la limite de la cotte de mailles. Sans cesser de faire tournoyer sa massue, Solaris poussa un sourd grondement et arracha la flèche avec ses dents. Recrachant le bout de bois, il leva son arme vers le furet. Sa voix résonna au-dessus de la mêlée comme un roulement de tonnerre :

— J'arrive Sigrif !

C'est alors que la horde céda. Elle entama sa retraite, vaincue par le courage et la ténacité des guerriers de la montagne. Solaris fut brusquement plaqué au sol tandis que la foule des mercenaires, paniqués, fuyait vers la mer. Sabretache posa un pied sur le dos du blaireau, agitant son sabre tel un tambour-major surexcité.

— Sus à l'ennemi ! Droit devant ! Chaaaargeeez ! hurla-t-il.

En un instant, Habila et Duracuir se trouvèrent à ses côtés. À eux trois, ils réussirent à remettre debout Solaris, sonné par le choc. Le blaireau frotta ses yeux pleins de sable, puis beugla furieusement :

— Sigrif ! Où est Sigrif ?

Le rocher était vide. Sigrif le Vicieux et sa renarde avaient disparu.

## CHAPITRE VI

Les feux du soleil couchant viraient au pourpre ; à l'horizon, l'astre couleur de sang s'enfonçait lentement dans la mer sombre et lasse. D'épaisses torches de paille étaient fixées sur des lances plantées dans le sable, sur la ligne de marée. Assis par terre, Solaris le Formidable se tenait la tête entre les pattes, son arme posée à côté de lui. Le colonel Sanpeur était descendu de la montagne ; il se fraya un passage entre les combattants exténués, serrant des pattes, tapant sur des épaules, félicitant les meilleurs d'un mot :

— Bravo ! Belle prestation ! Costaud, camarade! Pas froid aux yeux, ma fille, hein!

Sabretache nettoyait sa lame dans le sable. Il se redressa, saluant au garde-à-vous le vieux colonel.

Sanpeur inclina brièvement la tête.

— Certains se sont-ils rendus? A-t-on des prisonniers?

Le sabre du capitaine pointa vers la mer.

— Aucun, chef, je le crains. La situation ne s'y prêtait pas. La plupart se sont enfuis trop vite, trop loin, et ils ont été emportés par les courants. De notre côté, nous nous en sortons plutôt pas mal, bien qu'on n'ait pas encore totalement dénombré les morts et les blessés.

Solaris les rejoignit. Le brouillard rouge qui voilait ses yeux s'était dissipé, mais son regard restait sombre et troublé.

— Le Vicieux ne s'est pas perdu en mer, j'en suis sûr, il est trop malin pour ça. Il s'est échappé; mais il n'a pas pu aller très loin. Je dois le retrouver.

Sanpeur essuya brièvement son monocle, puis examina le blaireau de la tête aux pattes.

— Pardonnez mon outrecuidance, Sire, mais vous n'êtes pas en état de pourchasser qui que ce soit. Blessure à la tête, plaie béante à l'épaule, coup de lance dans le pied, profonde coupure à la patte droite… Vous comptez aller loin, comme ça? Rossolia, Brunéchine, la trousse de secours! Rafistolez-moi ça!

Tandis que les hases pansaient ses blessures, Solaris protesta:

— Vous savez bien que je dois rattraper

Sigrif. Plus je lambine ici, plus il a de chances de s'échapper pour de bon !

Mais le colonel ne voulut rien entendre, même de la part du souverain de Salamandastron.

— Notre patrouille de Coureurs de fond retrouvera demain la piste du furet. Vous pourrez alors affronter ce malfrat et régler vos comptes avec lui. Mais si vous essayez d'y aller seul ce soir, je serai dans l'obligation d'envoyer mes lièvres vous arrêter. Il est de mon devoir de colonel, moi le commandant en chef des forces de Salamandastron, de protéger mon souverain, avec tout le respect que je lui dois. Serviteur !

Solaris inclina la tête.

— Je comprends. Aïe ! Ça fait mal !

Rossolia le réprimanda tandis qu'elle réenfilait, dans le chas d'une aiguille en arête de poisson, un long poil arraché sur le propre dos du blaireau :

— Arrêtez de bouger, Sire ! Comment voulez-vous qu'on recouse cette blessure si vous n'arrêtez pas de hocher la tête ? On dirait un pivert sur son chêne !

Dûment recousu, bandé et nettoyé, Solaris se releva avec raideur et s'éloigna vers sa chambre dans la montagne.

— À demain alors, Sanpeur ! Je serai debout à l'aube. Que la patrouille soit prête à partir !

— S'il est debout demain à l'aube, c'est qu'il est somnambule, chuchota Brunéchine à son amie Rossolia. Je lui ai donné une triple dose de somnifère !

Avec la renarde et une trentaine de ses sbires, Sigrif avait profité de la confusion pour disparaître le long de la côte, pataugeant d'abord vers le sud, puis traversant la plage vers le nord-est en direction des montagnes, derrière Salamandastron. Le furet savait qu'il n'était pas question pour eux de dormir, ni même de faire halte : il devait prendre de l'avance sur Solaris le Formidable. Parvenu au sommet de la première montagne, il se retourna, regardant les autres qui suaient sang et eau dans l'ascension.

— Magnez-vous, si vous tenez à la vie, tas de mollassons !

La renarde poussait les traînards à l'arrière. Elle était perplexe. Dans ses rêves, elle avait vu Solaris tomber au pied de la montagne mais, au dernier moment, l'image se brouillait et Solaris était remplacé par une vieille femelle argentée. La renarde n'y comprenait plus rien : pourtant, ses rêves se terminaient toujours par la vision de Sigrif, debout au sommet d'une montagne, un rire de triomphe aux lèvres. Fatiguée, la voyante chassa ces chimères de son esprit et suivit celui que, croyait-elle, le destin lui avait donné pour maître.

L'aube avait depuis longtemps dissipé la brume marine et le soleil était déjà haut lorsque Cresserel se posa sur le rebord de la fenêtre de Solaris. Penchant la tête sur le côté avec curiosité, le faucon observa de son œil perçant son ami endormi. La massue pendait au bout de la dragonne, toujours passée au poignet du blaireau souverain. La poitrine puissante de ce dernier se soulevait régulièrement au rythme de vibrants ronflements. Cresserel déploya ses ailes et leva son terrible bec crochu.

— Criiiii! Mon ami a-t-il l'intention de dormir le restant de ses jours? Criiii!

Le grand blaireau se dressa sur son séant en se frottant les yeux.

— Quoi? Où ça? Je me suis endormi... Cresserel!

Le faucon plongea en piqué dans la pièce et vint se percher sur l'épaule de Solaris.

— Alors, mon ami à tête d'or, la bataille a dû être rude pour te clouer au lit si tard ce mat...

— À l'aube, hein? coupa le blaireau en arrachant ses pansements et ses bandages. Et où sont les fameux lièvres de la patrouille? Sigrif s'est échappé. Je dois le retrouver!

Cresserel retourna se percher sur l'appui de la fenêtre.

— Les lièvres sont en bas, sur la plage, en train d'enterrer leurs frères tombés au combat. Je sais que Sigrif s'est échappé; j'ai vu ses traces, à l'aube, au sud de Salamandastron. Il se dirige vers le nord, en opérant un grand détour par l'est. Ils sont trente-trois avec lui, peu chargés, et ils s'arrêtent à peine pour se reposer.

Solaris enfila sa tunique de mailles, puis endossa un vieux manteau court à manches en forme d'aileron.

— Eh bien, la boucle est bouclée, gronda-t-il

avec un sourire sinistre. C'est à peu près le nombre de gueux qu'il avait quand on le harcelait ensemble dans notre jeune temps. Viens, mon brave faucon, allons le traquer encore une dernière fois, rien que toi et moi !

L'équipe de fossoyeurs avait terminé sa triste tâche et arrivait dans la salle à manger pour le déjeuner. Rossolia, qui s'était immédiatement rendue au chevet de son patient, dévala l'escalier en criant :

— Colonel Sanpeur, le seigneur Solaris a disparu !

Sanpeur cogna si fort le pichet de mousseux qu'il tenait à la patte qu'il se fendit, répandant son contenu sur ses genoux.

— Foutrebleu ! Je croyais qu'il devait dormir jusqu'à midi ! Sabretache, prêt à partir ? Duracuir, Félicie ! Des rations et des armes pour douze patrouilleurs. Trouvez-moi ses traces et suivez sa seigneurie, et tout de suite ! Rompez !

En moins de temps qu'il n'en faut pour le dire, douze lièvres de la patrouille des Coureurs de fond, sous le commandement de Sabretache, avaient repéré les empreintes caractéristiques de Solaris et s'étaient lancés à sa poursuite.

Plus haut, dans les montagnes, son faucon sur l'épaule et sa massue à la patte, Solaris marchait sur la piste de Sigrif le Vicieux, son ennemi mortel.

Capucine et Gontran étaient allongés à l'arrière

du radeau, une cruche de jus de primevère et une tarte aux poires posées entre eux.

La souricelle tendit la patte, laissant l'eau de la rivière glisser entre ses doigts.

— Dis donc, Gontran, c'est pas la bonne vie ?

— Pourr sûrr, mam'zelle, drrôl'ment même. Et pourrtant, Dieu sait qu'j'aimions point la navigation. Mais c'est l'parrradis, pourr ça oui.

Caché derrière la cabane, le petit Clovis les épiait. Il ne put résister à la vue du gros ventre de Gontran tourné vers le ciel. Fonçant vers eux, il sauta dessus à pattes jointes.

— Hi, hi ! Ve fuis tombé fur le ventre d'une groffe taupe !

Le souffle coupé, Gontran était incapable de répliquer. Quant à Capucine, elle se tordait de rire avec le petit hérisson. Mirette Picaillon, qui étendait du linge à l'avant, lança un avertissement sévère :

— Nom d'un roseau ! Que j't'attrape encore à sauter sur le ventre de ce pauvre animal et j'te transforme en saucisson.

— Eh ben, qu'est-ce que c'est qu'ce boucan ? Tu surveilles toujours la barre, Gontran ?

Se rappelant soudain sa mission, Gontran se leva et, se frottant l'estomac, pesa de tout son poids sur la longue rame.

— Pourr sûrr, messirrre, l'a point dévié depuis que j'la tenions.

Doudou reprit la barre.

— Attention, mon gars, faut faire gaffe par ici, y a un bras s'condaire pas loin qui mène à des rapides et à une chute d'eau, vers le sud. Très très dangereux, hein mon joli p'tit nénuphar ?

Mirette tendit le panier de linge à Clotilde.

— Nom d'un tourbillon ! On a intérêt à pas s'en approcher. Tiens bon la barre, mon Doudou !

— Aie pas peur, ma douce libellule, la rassura le gros hérisson en souriant. J'la serre comme dans un étau, la famille n'a rien à craindre. Mmm… c'est juste une idée comme ça, Capucine, mais vous croyez pas que votre ami l'furet a pu s'laisser dériver par là ? Il s'est p't-être fait prendre par le courant, comme il est pas habitué.

Capucine leva les yeux de sa part de tarte.

— C'est ce que vous pensez, monsieur Picaillon ? Mais comment le savoir ?

Doudou montra un point sur la rive gauche.

— Le bras de la rivière est là, on va accoster juste après. J'vais demander à Ilfril. Il a un caractère épouvantable, alors laissez-moi lui parler.

Ce ne fut pas facile de passer le courant latéral sans se laisser déporter. Une fois en sécurité, ils tirèrent le radeau sur la berge et l'amarrèrent à un grand saule à l'aide d'une grosse corde.

En file indienne derrière Doudou Picaillon, ils remontèrent la berge jusqu'au bras secondaire. Doudou leva la patte, leur signifiant de ne pas faire de bruit, puis il planta son derrière sur la berge et, les deux pattes dans l'eau, lança à haute voix, comme s'il se parlait à lui-même :

— Belle journée pour la pêche !

— Fichez l'camp ! répliqua avec humeur une

voix aiguë. Interdit de pêcher sur mon bout d'rivière !

Le rideau de plantes au-dessus de la berge s'écarta, laissant apparaître un campagnol à l'air revêche.

— Ah, c'est toi, Picaillon, j'aurais dû m'en douter. Eh ben, qu'est-ce que t'attends ? Pousse-toi d'ma berge !

Doudou sourit jusqu'aux oreilles et entreprit d'asticoter le grincheux :

— Oh, détends-toi, Ilfril, allez, un p'tit sourire. Tu sais bien que j'pêche pas. Rigole un peu.

Le campagnol fronça les sourcils et cingla les herbes de son bâton.

— Qu'est-ce que tu fais là, alors ?

— J'cherche un furet, un ami de la souris et de la taupe, là-bas. Y serait pas passé par là ?

Ilfril se gratta le menton d'un air pensif avant de répondre :

— J'donne pas d'informations gratis.

Mirette Picaillon sortit une grosse part de tarte aux poires de son tablier.

— Nom d'un bigorneau ! On savait bien qu'on n'aurait rien pour rien venant d'toi, espèce de vieux trognon ! Prends ça, t'en mérites pas tant.

Le campagnol saisit la part de tarte, tout en jetant des regards sur les côtés comme si on cherchait à lui tendre un piège.

— Un furet, hein, mouais… J'l'ai vu hier soir, tard, à califourchon sur un tronc de saule. L'empoté ! Y ronflait comme un loir et y s'est

laissé emporter vers les rapides sans ouvrir un œil.
Peuh! L'aura une sacrée surprise en s'réveillant!

Sur ce, le campagnol réintégra son terrier derrière les plantes, tirant la part de tarte derrière lui
et maugréant d'un ton geignard:

— Z'avez eu c'que vous vouliez. Alors,
décampez maintenant.

Doudou posa gentiment la patte sur la tête de
Capucine.

— Eh bien voilà, jolie p'tite fleur des eaux,
vot' furet a pris un ticket pour l'enfer. C'est ici
que nos ch'mins se séparent car j'peux pas risquer
la vie d'ma famille dans ces rapides, c'est trop dangereux. Et j'conseillerais à personne d'y aller.

Gontran regarda le courant impétueux.

— Bah dame, moi non plus, messirrre. Mais
mam'zelle Capucine, elle s'fait un d'voirr de suivrre son voyou, j'savions point pourquoi.

— Nom d'une entourloupette! acquiesça
Mirette. Qu'est-ce qu'une honnête souricelle
comme vous fabrique avec un filou pareil?

Capucine fournit la seule réponse qui lui vint
à l'esprit:

— Je m'occupe de lui depuis qu'il est tout
petit. Filou ou pas, je ne peux pas l'abandonner.

La hérissonne serra prudemment Capucine
dans ses bras, pour ne pas risquer de la blesser
avec ses piquants.

— Nom d'une fraise des bois! s'exclamat-elle avec admiration. Ce s'rait le paradis sur terre
si tout l'monde était comme vous, m'dame!

Sibyl était ravi. Le soleil, déjà brûlant, faisait scintiller l'eau vive, qui courait maintenant sous un tunnel de verdure formé par les longues branches gracieuses des aulnes qui se rejoignaient. Le jeune furet choisit un fruit confit et une galette d'avoine dans le sac à dos puis, les pattes en coupe, but un peu d'eau claire de la rivière. Loin de se douter qu'il avait quitté le bras principal, il se pencha à l'avant du tronc, offrant sa figure aux éclaboussures. La rivière était profonde, lisse et rapide ; où qu'elle le mène, ça valait toujours mieux que de marcher. Il allait se rallonger pour une petite sieste quand un brusque virage le fit se cramponner à son vaisseau de fortune.

Le tronc se mit à rebondir sur les flots, brinquebalé entre les rochers qui se dressaient sur son passage. Quittant l'abri des arbres, la rivière s'engouffra dans une gorge aux parois abruptes. Le tronc heurta un haut-fond et se cabra, retombant dans une gerbe d'écume. Sibyl paniqua. Trempé par des paquets d'eau glacée, il serra plus fort la fourche du saule. Il était hors de question d'accoster : le tronc roulait et ruait tel un cheval sauvage, piquant du nez dans une série de rapides. Aveuglé, Sibyl agrippa l'écorce, ses propres cris se perdant dans le vacarme assourdissant des eaux emballées. Clignant désespérément des yeux, il distingua devant lui un arc-en-ciel surmonté de brume. À ce moment-là le tronc heurta un rocher, pivota et se mit à tourner sur lui-même comme une toupie. Sibyl tomba à l'eau. Bing ! l'arrière du tronc lui cogna la tête et il bascula, inconscient, dans le vide au milieu d'un grondement infernal.

Capucine et Gontran agitaient la patte sur la berge, un sac de provisions rebondi à leurs pieds. Rejoignant le lit de la rivière, le grand radeau encombré s'éloigna, son linge flottant au vent comme une imposante bannière. Ils crièrent un dernier au revoir à la famille Picaillon, regroupée autour de la barre à l'arrière.

Les hérissons leur répondirent de bon cœur :

— Faites attention à vous, et donnez à c'furet une bonne rouste de ma part !

Les deux voyageurs longèrent sans difficulté la berge, qui descendait en pente douce vers la montagne, foulant l'herbe grasse sous les aulnes au bord de l'eau. Avant de quitter l'abri des arbres, vers midi, Gontran découvrit des mûres. Assis sur la berge, les pieds dans l'eau, ils partagèrent leur récolte de fruits noirs et juteux. Capucine distingua un petit campagnol qui les observait depuis la rive opposée, caché derrière un rideau de lierre.

La souricelle sourit et agita la patte.

— Bonjour ! Tu veux des mûres ? Tiens, attrape !

Elle lança les baies par-dessus l'eau ; le campagnol les ramassa prestement et se goinfra avec avidité. Capucine lui lança encore une poignée de mûres, puis le questionna au sujet de Sibyl.

— Tu n'as pas vu un furet passer, sur un tronc d'arbre ?

Aussitôt, le petit animal se mit à danser sur

place, la patte tendue vers la montagne, et à bara-
gouiner :

— Si ! Si ! Fu'et, pa'ti pa' là, tout d'oit fu'et ! Et
boum, boum, saute su' l'eau, hi, hi, hi ! Peut p'us
s'a'êter, fu'et, et aaaaaaah ! Tombe tout en haut de
g'ande cascade ! Aaaaaahhh ! Fu'et cassé en mille
mo'ceaux, hi, hi, hi !

Capucine cessa de lancer des fruits, fusillant
du regard le campagnol hilare.

— Arrête de dire des horreurs pareilles !

Ses paroles parurent au contraire encourager le
minuscule rongeur. Il sauta en l'air, agitant les
pattes avec frénésie :

— Fu'et b'isé en tout petits mo'ceaux ! Hi, hi,
hi ! Plein, plein petits mo'ceaux. Tête ici, pattes là,
poils pa'tout, queue en mille mo'ceaux. Éc'asé
fu'et ! A p'us ! Hi, hi, hi !

Capucine ramassa les dernières baies d'un air
fâché.

— Viens, Gontran, allons-nous-en d'ici. Ce
mal élevé n'aura plus rien, on s'en va !

Le petit campagnol les poursuivit, hurlant
depuis la rive opposée sans cesser de sautiller :

— A p'us que des petits bouts de fu'et ! Hi,
hi, hi ! Le vent'e tout éc'asé, son dîner étalé
pa'tout, des dents dans tous les coins, les yeux en
bouillie, youpi ! Le nez en mo'ceaux, le sang aussi,
pa'tout, pa'tout, pa'tout ! Du sang pa'tout du fu'et
éc'abouillé, hi, hi, hi, hi, hi !

Il continua sur le même ton jusqu'à ce que
Gontran, enfonçant ses larges pattes plates dans sa

bouche, lui adressât une affreuse grimace en tirant la langue. Toujours sautant et bondissant, le petit campagnol lui rendit la pareille, fronçant le museau et agitant les oreilles. Du coup, il cessa de regarder où il allait et rentra en plein dans un aulne. Assis par terre les pattes écartées, il se mit à masser sa mâchoire endolorie en beuglant horriblement :

— Bouhouhouou ! Boboooo !

Capucine secoua la tête avec réprobation.

— Allons, Gontran, tout de même. Était-ce vraiment nécessaire ?

— Bah dame ! Au moins, l'a arrrêté d'nous parrler d'morrceaux d'furret, j'commencions à avoirr mal au cœurr !

Lorsqu'ils atteignirent le sommet de la gorge, au milieu de l'après-midi, la chaleur était devenue insupportable, mais la brume vivifiante des rapides vint bientôt les rafraîchir. Capucine contempla les eaux tumultueuses qui se précipitaient en moussant vers la montagne.

— Regarde-moi ça ! Pas étonnant que Doudou n'ait pas voulu engager le radeau par ici. C'est effrayant !

Gontran tendit la patte.

— Et c'est pirrre, là-bas, à mon avis. Z'entendez ce grrond'ment d'tonnerre ?

Un peu plus loin, ils aperçurent un arc-en-ciel couronné de brume, tandis que le grondement s'amplifiait, les obligeant à hurler pour s'entendre.

Trempés, terrifiés, ils se réfugièrent à l'abri d'une faille dans la paroi, sur le côté de la chute. Accroupi à l'intérieur, Gontran sortit un flan au cresson et au navet, qu'ils partagèrent avec un peu de jus de primevère. Fascinés, ils jetaient de temps en temps un œil sur le torrent monstrueux, qui disparaissait très loin en bas dans un brouillard blanc presque solide.

— C'est-y qu'vous savez où qu'elle va l'eau, mam'zelle Capucine ?

— Je n'en suis pas sûre, Gontran, mais il doit y avoir un grand lac en dessous, d'où part une rivière qui s'engage dans les montagnes.

La souricelle mesura soudain la proximité des montagnes ; la cascade semblait se jeter quasiment sur leur flanc.

— Eh bien, il va falloir trouver un moyen de descendre. Si Sibyl a dérivé jusque là, il n'a sans doute rien pu faire pour éviter la chute. Quelle expérience horrible !

— Pourr sûrr, mam'zelle, ça a dû êtrre durr, mais y faut point compter le rr'trrouver vivant.

Capucine serra la patte de son ami.

— Tu n'as pas besoin de descendre, Gontran. Je ne veux pas que tu risques ta vie pour retrouver Sibyl.

La mine grave, la brave taupe répliqua :

— Si j'descendions point, vous non plus. J'étions point v'nu jusqu'ici pourr vous laisser rrisquer votrre jeune vie toute seule au nom d'vot' vaurrien chérri, ah ça non, mam'zelle !

Le soir tombait lorsqu'ils furent enfin prêts à attaquer la descente, le long des rochers glissants.

Les deux amis étaient mal équipés pour ce genre d'aventure ; après une exploration épuisante des environs, ils dénichèrent seulement quelques courtes longueurs de vigne, qu'ils nouèrent ensemble. Capucine attacha un bout à la taille de Gontran et l'autre à la sienne ; sans un mot, ils s'engagèrent dans la paroi luisante, polie par les eaux, le vacarme assourdissant de la cascade résonnant à leurs oreilles. Capucine allait devant, Gontran l'assurant à l'arrière lorsqu'elle trébuchait. Elle s'arrêta, attendant que la taupe la rejoigne tant bien que mal pour jeter un regard alentour.

Il semblait ne pas y avoir d'issue à l'éperon rocheux sur lequel ils se tenaient, à l'exception d'une série de protubérances sur le côté, à demi recouvertes par la cascade. La souricelle descendit avec précaution sur la première. Elle sentit Gontran glisser légèrement dans son dos, mais il leva sa large patte pour la rassurer. Elle entreprit de descendre sur la seconde. Soudain, un morceau de bois emporté par les eaux la heurta. La souricelle glissa, se rattrapa au dernier moment à une saillie. Battue par le torrent, respirant avec peine, elle s'accrocha de toutes ses forces, entendant vaguement son ami lui crier par-dessus le tumulte :

— J'arrivions, mam'zelle, t'nez bon !

Alors qu'il parvenait à ses côtés, il s'approcha trop près du bord ; la cascade l'attrapa, l'emportant telle une feuille morte au vent d'automne. Une fraction de seconde plus tard, la souricelle hurla et fut à son tour catapultée dans le vide.

## CHAPITRE VII

Sigrif avait mené un train d'enfer. Il avait franchi les collines derrière Salamandastron en deux jours, sans s'arrêter pour manger ni dormir. Mais maintenant, il devait se reposer, s'accorder au moins un peu de répit pour ne pas tomber. Le seigneur de la guerre s'accroupit au bord d'un ruisseau qui coulait vers la lande. Haletant comme un chien, langue pendante, il attendit les autres. La renarde s'effondra bientôt à ses côtés, hors d'haleine, s'aspergeant d'eau à pleines pattes, la gueule ouverte.

Sigrif lui balança un coup de pied.

— C'est mauvais pour toi. Tu vas te rendre malade et tu pourras plus courir !

Mortifère se laissa tomber sur le dos, les flancs creusés par sa respiration précipitée.

— Aucune importance, Seigneur. Je suis vieille, de toute façon, je ne peux plus courir, que vous le vouliez ou non !

Le furet se passa de l'eau sur la nuque.

— Et alors, renarde, qu'est-ce que tu vas faire ? Attendre là que le blaireau te massacre ?

Mortifère regarda les autres clopiner vers eux et se laisser tomber au bord de l'eau, exténués.

— J'ai un plan, Seigneur. Écoutez : vous prenez vingt-cinq guerriers avec vous et vous me laissez le reste avec des arcs et des flèches. Regardez vers l'est. Vous voyez cette ligne verte ? Ce sont des bois. Marchez au milieu du ruisseau, l'eau effacera vos traces, et attendez-moi quand vous aurez atteint la forêt. J'ai encore du poison, je vais leur tendre une embuscade. On va tous les descendre et, après, on vous rejoindra par le ruisseau. Je crois que c'est notre meilleure chance.

Sigrif la fixa avec curiosité.

— Tu es une drôle de renarde… Pourquoi tu fais ça pour moi ?

Mortifère ferma les yeux.

— Vous n'êtes pas encore vaincu, Monseigneur. Je crois à mes visions. Je vois le blaireau couché à vos pieds, vous êtes debout sur une montagne, victorieux, un sourire aux lèvres…

Les yeux de Sigrif s'allumèrent, il se pencha vers Mortifère.

— Encore, continue, dis-moi ce que tu vois après.

La voyante ouvrit les yeux, puis haussa les épaules.

— Après, tout se trouble, je vois une vieille femelle blaireau, au pelage blanchi par les ans, à l'air très sage… et je me réveille.

Le seigneur de la guerre écrasa son poing ganté de fer sur le sol.

— Le blaireau couché à mes pieds, moi victorieux. Ton rêve me plaît. Tu as raison, rien n'est joué. Et pour ta vieille femelle au pelage blanchi, je lui réglerai son compte quand j'en aurai fini avec Solaris !

Nul ne fut plus surpris que Solaris le Formidable lorsqu'il vit apparaître Duracuir et Félicie : il avait atteint le pied de la dernière colline quand les deux lièvres le rattrapèrent en bondissant.

— Belle journée pour chasser la racaille, qu'en dites-vous, Sire ?

Le blaireau s'arrêta ; gonflant la poitrine, il prit une profonde inspiration.

— On peut savoir d'où vous sortez, tous les deux ?

— Eh bien, en fait, répondit Félicie, les autres arrivent. Nous ne sommes que les éclaireurs de la patrouille, n'est-ce pas, ceux qui ouvrent la marche et tout ça.

Elle saisit la gourde dans son dos.

— Tenez, Sire, buvez donc une goutte d'eau
à l'avoine et à l'orge, ça vous rafraîchira, par cette
canicule.

Solaris but volontiers une gorgée, les yeux fixés
sur le ciel. Cresserel fondit sur eux du fond de
l'azur et vint se poser à côté de son ami.

— Criiii! La renarde est embusquée avec six
bandits, de l'autre côté de la colline. Ils ont des
arcs et des flèches!

— Bien vu, mon ami. Et le Vicieux?

— Il remonte un ruisseau à l'est avec le reste
de la bande, en direction de la forêt, sans sortir de
l'eau pour ne pas laisser de traces.

Solaris se tourna vers les deux éclaireurs.

— Voici ce qu'on va faire : vous allez attendre
là le reste de votre patrouille pendant que je
contourne la colline pour prendre le ruisseau plus
au sud. Surveillez le ciel; quand vous verrez
Cresserel piquer, ce sera le signal de charger. Mais
attention, restez hors de portée des flèches. Dès
que vous m'entendrez attaquer, vous pourrez fon-
cer. D'ici là, montez sur la colline et attendez le
signal de mon faucon.

La chaleur était intenable dans la dépression au
bord du ruisseau; les mercenaires de Mortifère,
inquiets et mal à l'aise, avaient hâte d'en finir. Le
soleil avait chauffé l'eau, peu profonde, et leur
présence attirait des nuées de moucherons.
Mortifère chassa les insectes, s'efforçant de distin-
guer le flanc de la colline devant elle, à travers la

sueur qui l'aveuglait. Un rat querelleur but un peu d'eau du ruisseau, la recrachant aussitôt avec dégoût :

— Pouah ! Quel sale goût maintenant qu'une tripotée de pattes dégoûtantes ont pataugé dedans !

La renarde claqua des dents vers lui et la tension monta d'un cran.

— T'as qu'à pas la boire, imbécile. Ouvre plutôt les yeux sur la colline et garde tes pattes sur ton arc. Le seigneur Sigrif a dit : Pas de cafouillage.

Une fouine à la carrure solide ricana en exprimant ses pensées tout haut :

— Pas de cafouillage ? Écoute, la vieille, depuis que j'suis avec vous, on n'a pas arrêté de cafouiller, et qui c'est le grand cafouilleur en chef ? Le père Sigrif en personne !

La renarde le regarda durement, mais le rat qui s'était plaint de l'eau fit signe à la renarde.

— Regarde en haut de la colline : je vois les lièvres, y nous observent !

Mortifère distingua difficilement des pointes de javelot et le bout de longues oreilles qui dépassaient du sommet.

— Ouais, ils sont là-haut, pas de doute. C'est bizarre, qu'est-ce qu'ils attendent ?

La fouine risqua une hypothèse :

— Un signal, peut-être ?

C'est alors que la renarde repéra Cresserel, qui planait à mi-distance des collines et du ruisseau.

— J'ai compris, c'est le faucon du blaireau. Il doit surveiller quelque chose que nous ne voyons pas. Je vais lui apprendre à nous espionner !

La renarde s'essuya les yeux d'un geste, puis frotta ses pattes dans la poussière pour les empêcher de glisser. Elle choisit une flèche à la pointe empoisonnée, vérifiant avec soin sa robustesse et la rectitude de ses ailerons. Satisfaite, Mortifère ajusta la flèche à la corde, visa, puis banda lentement son arc en bois d'if.

Mortifère suivit sa cible des yeux et lâcha sa flèche. Cresserel poussa un cri perçant et s'écrasa sur le sol.

La renarde se retourna vers les autres, triomphante… pour découvrir Solaris qui chargeait dans le lit du ruisseau, au détour de la colline. Son courage l'abandonna. L'énorme blaireau souverain fonçait droit sur elle, hurlant de rage et de douleur. Lâchant son arc, la renarde s'enfuit, abandonnant les autres sur place. Quand ils firent face, il était trop tard : Solaris était sur eux, poussant un hurlement strident :

— Cressereeeeeel !

En haut de la colline, Sabretache avait entendu le cri angoissé de son souverain. Il vit le corps du faucon qui gisait à mi-pente, pauvre paquet de plumes dont dépassait une flèche brisée. Le capitaine des lièvres tira son sabre.

— Patrouille ! À mon commandement ! Iiiiioulaliiiiie !

Les lièvres dévalèrent le flanc de la colline au

milieu d'un nuage de poussière. Après avoir fait son travail, le blaireau enragé avait disparu. Sabretache montra l'amont du cours d'eau et la patrouille repartit dans un grand éclaboussement en direction de la forêt.

Jamais Mortifère n'avait couru aussi vite. Son cœur cognait dans sa poitrine et sa longue queue touffue volait derrière elle comme un serpentin tandis qu'elle aspirait bruyamment l'air brûlant. La blessure de Solaris à la patte s'était rouverte, teintant de rouge l'eau du ruisseau ; le blaireau fonçait telle une bête féroce dans le sillage de celle qui avait tué son ami. La peur donnait des ailes à la renarde, mais un coup d'œil par-dessus son épaule lui confirma que son adversaire commençait à gagner du terrain. Aveuglé par les larmes, le blaireau souverain pourchassait son ennemie vive et légère avec obstination, bien décidé à la rattraper.

Sigrif s'était enfoncé dans la forêt, où il pillait pour l'instant un merisier avec le reste de sa bande. Un bruit de pattes précipité le fit pivoter sur ses talons. C'était la belette qu'il avait postée en sentinelle à la lisière de la forêt.

— Seigneur, lâcha la belette hors d'haleine, j'ai vu vot' renarde. Elle file ventre à terre vers le bois, le blaireau à ses trousses. Aucun signe des autres, il a dû les tuer. Et y a des lièvres aussi, une bonne dizaine, qu'arrivent à toute vitesse !

Sigrif n'hésita pas une seconde.

— C'est la renarde qui a eu l'idée de l'embuscade, grogna-t-il. Si le blaireau l'attrape, c'est son problème. Sinon, elle nous rejoindra plus tard. Alors maniez-vous si vous tenez à vos vies !

Il fila aussitôt vers le nord avec sa bande.

Mortifère atteignit la forêt, les pattes tremblantes. Pensant trouver Sigrif et les autres, elle ralentit l'allure et se mit à hurler :

— Le blaireau est derrière moi ! Abattez-le !

Mais aucune aide ne se présenta. Titubant d'épuisement, la renarde reprit sa course entre les arbres. Elle sentit le sol vibrer derrière elle ; effrayée, elle se retourna, se prit les pattes dans une racine et s'étala. Elle s'était à demi relevée quand une énorme patte la plaqua de nouveau au sol. Solaris le Formidable se dressait au-dessus d'elle, sa figure zébrée d'or trempée de larmes, ses immenses pattes tremblant de fureur tandis qu'il levait la massue géante. Mortifère se recroquevilla sur le sol.

— Non, Sire, non ! Piti... Aaaaah !

Sabretache sauta par-dessus le cadavre de la renarde, suivant le sous-bois dévasté jusqu'à l'endroit où gisait Solaris, à bout de forces, incapable de se relever, dévoré de chagrin maintenant que sa colère s'était apaisée.

— Cresserel, sanglotait-il, Cresserel, mon fidèle ami !

Le lièvre rengaina son sabre et s'adressa à voix basse à sa troupe :

— On va camper là ce soir, le jour ne va pas tarder à tomber. Duracuir, Félicie : occupez-vous du seigneur Solaris, repansez ses plaies. Habila, vois si tu peux ramener de l'eau propre du ruisseau. Repos, les autres. On retrouvera la trace du furet à l'aube.

Revigoré par sa halte dans les bois tandis qu'il attendait le résultat de l'embuscade, Sigrif était reparti de plus belle. Peu après l'aube, il tomba sur une large rivière qui coulait entre les arbres. Il fit signe à sa bande de faire halte, but une gorgée, puis pénétra prudemment dans l'eau pour en mesurer la profondeur. Grison, l'une de ses fouines, l'y suivit.

— M'a l'air profond au milieu, chef. Ça mène où, à votre avis ?

Sigrif n'écoutait pas. La face levée vers l'amont de la rivière, il contemplait le flanc herbeux des montagnes au loin.

— Debout, tas de paresseux ! hurla-t-il à sa bande. On va dans les montagnes, là-haut. Restez dans l'eau près du bord, le blaireau aura du mal à suivre nos traces. En route !

Grison pataugea à sa hauteur.

— Mais chef, et Mortifère ? Vous avez pas dit qu'elle devait nous retrouver ?

Sigrif lui jeta un regard apitoyé :

— Si la renarde avait dû nous rattraper, elle l'aurait fait durant la nuit. Oublie-la. Pour l'instant, ce qui m'inquiète, c'est le blaireau et ses lièvres. Si on arrive à rejoindre les montagnes, je trouverai un plan pour nous débarrasser d'eux.

Solaris et la patrouille des Coureurs de fond avaient un jour de retard sur Sigrif. Ils parvinrent à la rivière en fin de journée et dressèrent le camp sur la rive.

Sabretache inspecta les feuilles et les branches des arbres qui trempaient dans l'eau au-dessus d'eux.

— Mmm… ils sont environ vingt-cinq… Ils marchent dans l'eau, croyant nous empêcher de les retrouver. Vous voyez la branche de saule cassée, là ? Et les feuilles tout abîmées du sorbier, plus haut ? Pfff !

Solaris s'était enfoncé dans l'eau jusqu'à la taille, jusqu'à sentir la pression du courant glacé sur son corps. Il leva les yeux vers les montagnes, qui se dressaient au loin dans le crépuscule naissant de cette journée torride.

— On va se reposer juste le minimum, et puis on marchera de nuit, il fera plus frais. De toute façon, ce n'est plus la peine de les pister : Sigrif se dirige vers les montagnes, je le sens au fond de moi. Quand il a attaqué Salamandastron, j'ai cru que tout se jouerait là entre nous, mais le destin en a décidé autrement. Qu'importe, une montagne vaut bien l'autre pour régler son compte au furet à six griffes !

# CHAPITRE VIII

Lorsque Capucine reprit connaissance, elle était à plat ventre sur une roche lisse, de l'eau jusqu'à la taille. Gontran était à côté d'elle, inconscient, mais il respirait lentement. Ahurie d'être encore en vie, Capucine se redressa en vacillant et remonta le corps de Gontran sur la roche.

La souricelle inspecta les alentours. Ils se trouvaient dans une immense caverne à l'intérieur de la montagne. La chute y formait une large rivière, parsemée d'îlots rocheux et de pierres permettant de traverser à gué. La luminosité émanant de la rivière dessinait des motifs ondulants sur les hautes parois de pierre. C'était un monde hors du temps, où le jour et la nuit n'avaient pas cours, un monde à jamais baigné dans son propre rayonnement pâle et diffus, habité par l'eau, sans cesse coulant, tombant ou s'égouttant, et dont le bruit résonnait partout à la fois.

Leur sac de provisions dérivait doucement devant eux. Capucine l'intercepta et en vida le contenu sur la roche. Les fruits étaient intacts ; la souricelle essuya une pomme et en croqua un morceau.

Gontran remua, ouvrit lentement les yeux.

— Oh, mes aïeux, c'est-y la forrrêt des ténèbrres ? Ça rr'semble point à c'que j'avions crru.

La souricelle déboucha une gourde de jus de pissenlit à la bardane, qu'elle tendit en riant à Gontran. La brave taupe s'assit sur son derrière et but longuement.

— Hou, la, la ! Ça fait du bien. Dites, mam'zelle, on a atterrri dans un drrôle de terrrier, crroyez pas ?

— En tout cas, on est vivants, c'est déjà beaucoup, répondit la souricelle. Et je suis sûre que Sibyl est en vie, lui aussi.

Gontran essora sa tunique.

— P'-têtrre bien, mais c'est qu'un vaurrien, vous tirrerrez jamais rrien d'bon de lui.

Capucine remballa les provisions encore mangeables dans le sac trempé.

— Sibyl n'a pas toujours été mauvais. Il était si mignon quand il était petit ! Il changera, tu verras.

Plaf !

Un gros rocher heurta bruyamment la surface de l'eau tout près et une voix résonna sinistrement au-dessus d'eux :

— Il changera ! Il changera ! Ha, ha, ha ! Ma parole, mais c'est encore ces deux imbéciles.

Capucine fit volte-face, le visage levé. Sibyl se tenait sur une corniche derrière eux, les reflets de l'eau dansant étrangement sur sa figure. Il leva sa patte teintée de rouge et disparut dans une fente noire de la paroi.

Capucine escalada tant bien que mal les rochers glissants jusqu'à la corniche, Gontran sur ses talons.

— Attends, Sibyl, attends-nous, je t'en prie ! hurlait-elle. Il est vivant, Gontran, je le savais !

La fente était en fait l'entrée dérobée d'un tunnel tortueux. Les deux amis s'y engouffrèrent précipitamment à la poursuite du furet.

Sibyl, qui s'était caché dans un renfoncement de la roche, vit Capucine et Gontran filer devant lui. Ricanant sous cape, le jeune furet écouta le bruit de leurs pattes décroître vers le fond du tunnel. Il les avait eus les doigts dans le nez. Il retourna sur la corniche, pensant déguerpir au plus vite pendant qu'ils le cherchaient.

C'est alors qu'il aperçut la pierre. C'était un lourd éclat de roche rectangulaire, en équilibre au bord d'une autre corniche, juste au-dessus. Le furet grimpa lestement ; il avait vu juste : il suffisait d'appuyer sur la pierre pour l'ébranler. Se frottant les pattes de plaisir, il se mit à l'œuvre. Plus il pesait sur la pierre, les deux pattes à plat, plus celle-ci se balançait. Sibyl entendit Gontran et Capucine revenir vers l'entrée du tunnel. Le furet bondit sur le rocher dangereusement incliné et se mit à sauter dessus de toutes ses forces. La pierre glissa centimètre par centimètre vers le vide, puis bascula. Sibyl s'était jeté sur le côté; assis au bord de la corniche, il regarda le rocher dévaler la pente et s'arrêter sur la corniche inférieure, où il boucha l'accès au tunnel. La figure fendue d'un sourire diabolique, le furet redescendit inspecter le fruit de ses efforts.

La grande pierre plate était irrémédiablement coincée dans la fente, condamnant l'entrée du tunnel. Sibyl se colla à la roche.

— Ha, ha, ha! Essayez un peu de me suivre maintenant, les tarés de l'abbaye!

Il entendit gratter furieusement de l'autre côté. La voix de Capucine retentit :

— Sybil! Qu'as-tu fait? Laisse-nous sortir. S'il te plaît!

Le jeune furet leur tourna le dos et s'éloigna.

— Pourquoi vous utilisez pas votre gentillesse pour le faire bouger? En attendant, salut et bon débarras!

— Joli coup!

Un grand furet au corps sec et nerveux, entouré d'une bonne vingtaine de bandits armés jusqu'aux dents, observait Sibyl, la patte posée sur la garde de son épée. Il s'approcha, tourna autour du jeune furet, l'inspectant avec curiosité sous toutes les coutures.

— Des potes à toi, sûrement ?

Sibyl le regarda d'un œil froid.

— J'ai pas de potes.

Deux ou trois sbires de Sigrif, qui étaient avec lui depuis les premiers jours, se poussèrent du coude en montrant les deux furets du menton, l'un étant l'exacte réplique de l'autre, en plus jeune.

Sigrif darda son regard perçant sur Sibyl.

— Comment tu t'appelles ? Qu'est-ce que tu fais là ?

Le jeune furet soutint sans broncher le regard du seigneur de la guerre.

— Je suis venu par la cascade. Mon nom est Sibyl Sigrif, le Banni !

On entendit les autres suffoquer d'étonnement lorsqu'il continua :

— Et je sais qui tu es : Sigrif le Vicieux, le seigneur de la guerre !

Les deux furets se défiaient du regard.

Sigrif sourit méchamment puis, la voix lourde de sarcasme, jeta :

— T'es une forte tête, le mioche, hein ? Sibyl, qui t'a donné un nom pareil ?

Avant que l'intéressé n'ait pu répondre, Grison apparut à l'autre bout de la caverne, pataugeant dans l'eau en beuglant :

— Chef ! Le blaireau et ses lièvres remontent la rivière, ils seront là d'ici une heure ou deux !

Sigrif désigna les corniches et les galeries à pic qui

disparaissaient vers le plafond obscur de la caverne.

— Par ici! Allons voir où ça mène!

Sibyl se dressa sur son passage.

— Et moi? Je sais me battre.

Sigrif l'écarta avec mépris.

— Pousse-toi d'là, le mioche, j'ai assez de problèmes comme ça!

Le jeune furet sourit finement.

— Ouais, on dirait. Apparemment, tu fuis. Pfff, tu parles d'un seigneur de la guerre!

Sigrif faillit perdre son sang-froid. Il lança un regard venimeux au jeune furet.

— Fais gaffe où tu mets les pattes, p'tit morveux. Et tiens ta langue ou j'te la fais bouffer!

Les deux pattes dans l'eau, Sabretache scrutait la caverne noire et sombre par où la rivière sortait de la montagne.

Les lièvres attendaient le retour des éclaireurs. Solaris s'était installé à l'écart, les joues creusées de deux sillons profonds à l'endroit où ses larmes avaient coulé. Assis à côté de son capitaine, Cassis observait le grand blaireau du coin de l'œil.

Solaris cueillit une feuille, la plia en deux puis, la portant à ses lèvres, souffla dessus; un long sifflement aigu se fit entendre; puis le blaireau jeta la feuille dans l'eau et la regarda disparaître vers l'aval. Un énorme soupir s'échappa de sa poitrine tandis qu'il enfouissait sa figure zébrée d'or dans ses pattes.

— Pourquoi a-t-il fait ça? chuchota Cassis.

— C'est ainsi qu'il appelait Cresserel, autrefois, répondit Sabretache. Pauvre vieux, il va lui
falloir plusieurs saisons pour surmonter sa peine.

Les éclaireurs ne tardèrent pas à revenir. La
voie était libre. Les armes à la patte, les lièvres
pénétrèrent dans la caverne, pataugeant dans le
courant derrière Solaris. À l'intérieur, les éclaireurs prirent de nouveau les devants pendant que
Solaris et les autres les attendaient sur un rocher,
à mi-hauteur de la rivière. Silencieux, ils contemplaient l'immense caverne.

Sabretache leva son épée.

— Pssst ! Vous entendez ?

C'était un bruit sec et régulier, comme si quelqu'un cognait deux pierres l'une contre l'autre.

— Ça vient d'où ? murmura Cassis à Habila.

Habila regarda autour d'elle, puis haussa les
épaules :

— Pas la moindre idée, ça résonne de partout
ici… Mais, dis-moi, n'est-ce pas Duracuir et
Félicie qui reviennent, là ?

Duracuir fit son rapport à Solaris :

— Chute d'eau colossale au fond, ils n'ont
pas pu passer par là.

Solaris leva la tête, scrutant les galeries et les
corniches vertigineuses qui disparaissaient dans
les ténèbres au-dessus d'eux.

— Donc ils sont quelque part ici, confirma-
t-il. Sabretache, conduis la patrouille dehors et
grimpez au sommet de la montagne. À mon avis,
Sigrif va essayer de l'atteindre. Moi, je grimpe par

l'intérieur. On va peut-être réussir à les coincer. C'est un ordre, exécution !

Sabretache, comprenant qu'il était inutile de discuter, n'insista pas.

Après le départ des lièvres, Solaris s'immobilisa un instant. Le bruit de pierres entrechoquées résonnait toujours quelque part, à peine audible dans le vacarme de l'eau. Le blaireau se hissa sur la corniche ; le bruit lui parut plus proche. Il longea la rampe naturelle et pressa son museau contre une fente entre la paroi et la pierre.

— Y a quelqu'un ? hurla-t-il.

Le bruit cessa, une grosse voix répondit :

— Pourr sûrr, tiens parrdi, c'est nous deux qu'étions coincés là d'dans !

Le blaireau éprouva le rocher de deux ou trois puissantes secousses du plat de la patte. Il sentit la masse bouger légèrement.

— Je vais essayer de vous sortir de là. Reculez !

Grimpant sur la corniche supérieure, il vit qu'il pouvait toucher le haut de la dalle avec ses deux pieds. Cambrant le dos, il pesa de tout son poids sur ses pattes et se mit à pousser vers l'extérieur. Le rocher s'écarta, puis se figea dans un nouvel équilibre.

— J'ai un peu décalé le rocher, cria Solaris. Grimpez dessus, vous devriez pouvoir vous glisser dehors par le haut. Tenez, attrapez ça.

Il saisit sa massue à l'envers et laissa pendre la dragonne dans l'ouverture. La voix de Capucine monta jusqu'à lui :

— Je l'ai ! Vous pouvez me tirer s'il vous plaît ?

Solaris la hissa dehors en un tour de patte. Il eut un peu plus de mal avec Gontran à cause de son embonpoint, mais la petite taupe finit par jaillir de la prison comme un bouchon de fourrure tout rond.

Alors qu'ils faisaient les présentations, un cri strident leur vrilla les oreilles, puis quelque chose tomba dans la rivière. Solaris pataugea dans l'eau et revint avec une chauve-souris dont l'aile était transpercée d'une flèche.

Capucine se précipita pour l'aider. Par chance, la flèche n'avait pas fait trop de dégâts, ne perçant que la fine membrane de l'aile. Capucine brisa l'extrémité du trait, puis retira l'autre bout avec précaution.

— Là, c'est fini, dit-elle gentiment. Vous pourrez bientôt voler comme avant.

La chauve-souris remercia la souricelle d'une voix douce et sifflante :

— Mille mercis, mercis. Je suis le seigneur Peaunoire, Peaunoire, maître du puy aux Chauves-souris, souris. Mon territoire s'étend là-haut, là-haut. Il y a des méchants, ils sont armés, armés.

Peaunoire leur décrivit brièvement sa rencontre avec Sigrif et sa bande de son drôle de parler répétitif, à la façon d'un écho. Solaris l'interrompit :

— Ces bandits sont mes ennemis. J'ai juré de les liquider. Pouvez-vous nous guider jusqu'à eux, seigneur Peaunoire ?

Le maître du puy aux Chauves-souris plissa ses yeux minuscules, en tête d'épingle.

— Vous êtes très fort, fort. Portez-moi, moi. Je vais vous montrer, montrer.

Loin au-dessus, dans les hauteurs reculées de la caverne, des cadavres de chauves-souris jonchaient les corniches de pierre. Sigrif et ses derniers fidèles avaient fait halte pour une courte pause. Un rat lâcha une flèche, qui ricocha sur une pierre et disparut dans l'abîme.

Sibyl regarda le rat placer une nouvelle flèche dans son arc.

— Tu les laisses toujours gâcher leurs munitions comme ça, railla-t-il, sur des bêtes qui peuvent pas vous faire de mal ?

Sigrif ricana.

— Ferme-la, morveux, ou tu vas avaler une chauve-souris !

Sibyl leva les yeux vers le mince rai de lumière au-dessus de leurs têtes.

— D'accord, reste là à chercher des insultes pendant que ce tas de bigleux imbéciles gaspillent leurs flèches. Moi, je grimpe voir d'où vient cette lumière.

Sigrif tira à demi son épée quand Sibyl passa devant lui. Le jeune furet ramassa une grosse pierre et se mit à la faire sauter dans ses pattes d'un air menaçant.

— Sors ton arme et je t'ouvre le crâne en deux !

Sigrif n'insista pas.

— Hé ! En voilà une langue bien pendue pour un moutard tout juste sorti des jupes de sa mère !

railla-t-il à son tour. Quand j'en aurai fini avec le blaireau, je m'occuperai de toi, promis !

Sibyl sourit avec insouciance depuis le balcon en surplomb qu'il venait d'atteindre.

— Cause toujours, patte folle… On verra plus tard qui s'occupera le mieux de l'autre !

Et, sans un regard en arrière, il poursuivit son ascension.

Le rat allait tirer sa deuxième flèche quand Sigrif l'aplatit d'un coup de son gant de fer.

— Arrête de gaspiller nos flèches, bougre d'imbécile !

Avec l'agilité de sa jeunesse, Sibyl était déjà parvenu à la source de la lumière. Elle provenait d'un trou rond dans une petite porte de bois encastrée dans la roche. Le furet ouvrit la porte d'un coup de patte et rampa au-dehors. Clignant des yeux au soleil couchant, il s'aperçut qu'il se tenait sur un plateau, au sommet d'une montagne couverte de schiste. Il fit quelques pas.

Beaucoup plus bas, des lièvres escaladaient le flanc escarpé et broussailleux de la montagne. Il ne fallut pas longtemps à Sibyl pour arracher des morceaux de schiste et les balancer sur les grimpeurs. Ricanant comme un garnement, il regarda les projectiles dévaler la pente, déclenchant un mini-éboulement de pierres et de gravillons. Les lièvres plongèrent tête baissée derrière les rochers, s'accrochant aux branches des buissons, impuissants à se défendre. Sibyl ricana dans sa barbe : enfin il goûtait au pouvoir. Ah… si seulement c'étaient des habitants de Rougemuraille, et non des lièvres, qu'il tenait ainsi à sa merci !

Pendant ce temps, Solaris s'élevait discrètement, de galerie en galerie, suivant les indications du seigneur Peaunoire. Il soulevait Capucine et Gontran, comme s'ils ne pesaient rien du tout, et les déposait au fur et à mesure sur les rochers devant lui.

Soudain, Peaunoire demanda à ses compagnons de se taire.

— Chut ! L'ennemi n'est pas loin, pas loin.

Mais Sigrif les avait déjà entendus, l'écho de leurs voix se répercutant jusqu'à lui. Depuis que Sibyl avait ouvert la petite porte du sommet, un large faisceau de lumière les éclairait. Sigrif leva la tête, et un plan commença à germer dans son esprit. Il désigna deux rats et deux belettes.

— Vous quatre, restez là, chuchota le seigneur de la guerre. Occupez-vous des chauves-souris, ou de toute autre bestiole qui pourrait nous suivre. Je vais grimper jusqu'au sommet avec les autres. Rejoignez-nous quand vous aurez fini le ménage ici. Fastoche, hein ?

En silence, le furet conduisit le reste de sa bande jusqu'à la sortie.

Solaris venait de déposer Gontran sur une corniche au-dessus de lui quand une flèche vint se planter avec un sifflement de serpent dans l'épaule de la petite taupe. Aussitôt, le blaireau redescendit le blessé et l'allongea auprès de Capucine.

— Il est touché, occupe-toi de lui.

Le grand blaireau déposa sa massue par terre,

puis il choisit deux grosses pierres et montra sa tête par-dessus la corniche. Le rat l'aperçut et, aussitôt, il s'employa fébrilement à réarmer son arc. Solaris lança une pierre avec force et précision.

Paf !

Le projectile dégomma le rat de son perchoir. Il tomba en silence, rebondissant de corniche en corniche, avalé par le gouffre noir.

Une belette se pencha, non loin de l'endroit où se tenait auparavant le rat.

— Qu'est-ce qu'est arrivé à Bousquet ? Quelqu'un l'… Aaaaaaah !

Une deuxième pierre venait de la faire plonger à son tour dans le vide.

Le rat et la belette restants paniquèrent.

— Filons d'ici, vieux, c'est l'blaireau !

Solaris se tourna vers Capucine et Peaunoire.

— Restez là avec Gontran. Il faut que je rattrape ces deux-là avant qu'ils ne donnent l'alarme.

Laissant là sa massue, il s'engagea dans la paroi à la poursuite des deux bandits, hissant son immense carcasse vers le sommet, patte après patte. Il n'avait rien perdu de son agilité légendaire ; se balançant de corniche en rocher, sautant et se tirant vers le haut, le blaireau souverain se trouva bientôt sur les talons des fuyards. Le rat pédalait sur une plaque de pierre inclinée quand la patte implacable de Solaris s'abattit sur sa queue et l'arracha à la paroi. Il disparut dans le noir avec un cri strident.

Dehors, la nuit commençait à tomber. Sigrif arpentait le plateau à grandes enjambées, surveillant ses sbires qui balançaient pierres, flèches et lances sur les lièvres. Sibyl s'approcha du bord en vacillant sous le poids d'une plaque de schiste dentelée. Il la lança en bas avec allégresse, puis s'adressa effrontément à Sigrif.

— Et toi…, t'as peur de te salir les pattes ? lança-t-il. Pff, seigneur de la guerre à la manque, une grenouille écrasée serait moins molle que toi !

— Je m'y connais pas en grenouilles écrasées, grinça Sigrif, furieux, mais c'est toi, l'échalas, qui seras un furet écrasé si tu continues à m'parler sur ce ton !

Le seigneur de la guerre s'accroupit près de l'ouverture et tendit l'oreille. Il entendit le cri perçant du rat, puis le hurlement de terreur que poussa la dernière belette quand Solaris la rattrapa. Il risqua alors un œil à l'intérieur et vit le blaireau qui se hissait vers lui, tête baissée. L'occasion était trop belle pour la rater !

Sigrif saisit à deux pattes une énorme plaque de schiste acéré et se précipita de l'autre côté de l'ouverture, pour se trouver derrière Solaris quand il émergerait. Alors que le blaireau s'apprêtait à sortir, Sigrif lui écrasa la plaque de schiste sur le crâne. Solaris s'effondra, inconscient, et Sigrif hurla à sa bande :

— Trouvez-moi une corde, vite ! Sortez-le de là et ligotez-le ! Je l'ai eu ! J'ai eu le blaireau !

En bas, sur son lit de pierre, Gontran serrait bravement les dents.

— Ouille, ouille, ouille ! J'savions point qu'ça faisait si mal, une flèche.

Capucine examina la pointe acérée qu'elle venait de retirer de l'épaule de son ami.

— Mmm… au moins, elle n'est pas empoisonnée. Tu as de la chance. Reste tranquille, les chauves-souris du seigneur Peaunoire vont s'occuper de ta blessure.

Gontran vit un groupe de chauves-souris se rassembler autour de lui. Elles stoppèrent l'hémorragie avec un écheveau de toiles d'araignée, puis pansèrent la plaie avec de la mousse et un drôle d'emplâtre à base de salpêtre.

La taupe se désaltéra bruyamment au pichet rempli d'un breuvage mauve qu'on lui tendait.

— Mmm! C'est bon! Vrrai, ces sourrris volantes sont d'brraves bêtes, on peut l'dirre!

Le rire des chauves-souris fusa en sifflant comme un jet de vapeur.

— Des souris volantes, volantes! Hiss, hiss, hissss! Vous avez entendu, seigneur Peaunoire, Peaunoire? La drôle de bête nous prend pour des souris volantes, volantes!

Inquiet, le seigneur Peaunoire leva la tête.

— Il fait de plus en plus noir, noir. Le très fort ne vous a pas appelés. Que se passe-t-il, t-il?

Capucine fléchit poliment le genou devant le seigneur des chauves-souris.

— Sire, pouvez-vous vous occuper de Gontran jusqu'à ce que je revienne? Il faut que j'aille voir.

Pour toute arme, la souricelle ne disposait que d'un canif, trouvé dans le sac de provisions. Le serrant entre ses dents, elle commença à s'élever lentement vers la sortie.

Un feu rougeoyait au milieu du plateau, au sommet de la montagne. Des sentinelles, postées sur les bords, guettaient le moindre mouvement des lièvres dans le noir. Toujours inconscient, Solaris le Formidable gisait non loin du feu. Il était attaché à deux manches de lance, enfoncés dans les fissures du sol, par des liens serrés qui lui entaillaient cruellement les chairs.

Assis par terre, Sigrif durcissait au feu la pointe d'un javelot de frêne. De l'autre côté des flammes, Sibyl l'observait, accroupi sur ses talons.

— Alors, t'as fini par l'avoir, après toutes ces saisons, dit-il au seigneur de la guerre.

Sigrif frotta la pointe fumante du javelot contre un rocher, jusqu'à l'effiler comme une longue aiguille d'un brun presque noir.

— Ouais, grogna-t-il, de bien nombreuses saisons, bien plus que t'en comptes toi-même, morveux.

Sibyl adorait provoquer Sigrif :

— Ce qui montre à quel point t'es nul. Y a longtemps que le blaireau serait mort si ça avait été moi.

Le seigneur de la guerre sourit, refusant de mordre à l'hameçon.

— Hé, cervelle de moineau, t'as déjà eu des ennemis, toi ?

Sibyl le fixa à travers les flammes.

— Oh, t'inquiète pas, j'en ai un, le lâche que

j'ai jamais pu appeler papa, l'infecte ordure qui m'a abandonné sur un champ de bataille quand je pouvais à peine marcher. Mais un jour, je danserai en hurlant de rire sur sa tombe !

Sigrif pointa le javelot sur la masse inerte du blaireau.

— Essaie et tu mourras, comme celui-là mourra demain, à petit feu, jusqu'à ce qu'il me supplie de l'achever !

Capucine leva lentement la tête avec mille précautions, notant chaque détail de la terrible scène, des sentinelles aux deux furets autour du feu, en passant par le blaireau ligoté entre les deux lances. Elle devait sauver Solaris à tout prix. S'extirpant du trou centimètre par centimètre, elle s'aplatit sur les dalles et commença à ramper vers le feu, son canif toujours serré entre les dents. Elle prenait soin de se tenir dans le dos de Sigrif, dont l'ombre la cachait aux yeux de Sibyl. Les sentinelles regardaient toutes en bas, une ou deux sombrant de temps en temps dans le sommeil.

Quelque chose résonna sous la patte de Capucine ; c'était un gobelet à moitié plein, abandonné par un membre de la bande. La souricelle s'immobilisa. Les furets n'avaient rien entendu à cause du crépitement des flammes. Ramassant le gobelet, Capucine commença à se tortiller vers Solaris, en veillant à rester hors du champ de vision des furets. Enfin, elle atteignit son but. La grosse tête zébrée d'or était maculée de sang noir séché ; le blaireau souverain gisait, parfaitement immobile, la bouche entrouverte. Levant le gobelet, Capucine laissa quelques gouttes couler dans la gorge du blessé. Tout d'abord rien ne se passa, puis le blaireau toussa, grogna. Sa tête se souleva, heurtant le gobelet qui se renversa en lui éclaboussant la figure du reste du breuvage.

Capucine sentit le manche du javelot la frapper durement dans le dos; elle se retrouva aplatie par terre.

— Ah, ah! Je t'ai eue, souris! Qu'est-ce que tu fais là?

Sigrif l'attrapa sans ménagements et la remit sur ses pattes. Solaris toussait et s'étranglait, à demi étouffé par le liquide coincé dans sa gorge. Sibyl se précipita.

— Sale petite espionne! T'essayais de le détacher, hein! rugit Sigrif.

Sibyl le frappa en pleine figure, arrachant la souricelle à ses griffes.

— Cours, Capucine, vite!

Sigrif se jeta sur son fils. Pendant que les deux furets luttaient, Capucine se précipita sur le canif tombé de sa bouche et se mit à taillader les liens du blaireau souverain en criant:

— Debout, messire! Levez-vous!

Sigrif jeta Sibyl à terre et leva son javelot sur la souricelle, qui lui offrait une cible immanquable.

— Le blaireau est à moi! beugla-t-il.

Capucine se retourna, vit Sigrif lancer le javelot, puis quelque chose passa devant elle en hurlant:

— Laisse-l… aaaaaah!

Sibyl s'effondra aux pieds de la souricelle, le javelot pointant horriblement dans son dos. Capucine ouvrit la bouche, mais aucun cri ne s'en échappa.

Sigrif s'élança, la patte sur son épée. C'est alors qu'un rugissement assourdissant retentit sur le plateau :

— Iiiiioulaliiiiie !

Les deux lances se brisèrent comme de vulgaires brindilles ; Solaris s'arrachait à la roche avec la puissance du tonnerre, les babines retroussées, les yeux injectés de sang, gonflant son énorme poitrine sur ses liens en lambeaux. Les sentinelles se retournèrent ; pétrifiées, elles assistèrent à la confrontation du seigneur de la guerre et du souverain de Salamandastron.

La lame recourbée de Sigrif étincela à la lueur des flammes lorsqu'il frappa, zébrant de rouge le flanc de son ennemi. Puis le furet leva de nouveau son sabre et l'abattit encore, visant cette fois la tête. Deux énormes pattes bloquèrent la lame en pleine course. Le blaireau déchaîné resserra sa prise, sans se soucier du flot de sang qui jaillissait, totalement livré à l'instinct guerrier de ses ancêtres. Bouche bée, le furet le vit briser sa lame en deux et entendit le claquement sec du métal répercuté par l'écho. Serrant toujours les deux moitiés du sabre, Solaris bondit et cueillit Sigrif au menton. Le coup résonna comme une planche écrasant un fruit pourri, et sa force arracha le furet du sol. Sigrif le Vicieux retomba, terrassé. Nul n'aurait pu approcher Solaris le Formidable en cet instant. Ivre de rage, il saisit son ennemi dans sa poigne de fer, le souleva au-dessus de sa tête et, s'approchant du bord, le jeta dans la nuit en hurlant une dernière fois :

— Iiiiioulaliiiiie !

Les sentinelles terrifiées, qui s'étaient tapies sur les bords du plateau, dégringolèrent sur les fesses parmi les éboulis. Elles tombèrent sur les lièvres vengeurs de la patrouille des Coureurs de fond, qui s'étaient élancés vers le sommet aux premiers échos du combat.

Aidé par une compagnie de chauves-souris, Gontran émergea enfin sur le plateau et se hâta vers Capucine. La souricelle était assise par terre, la tête de Sibyl sur les genoux. Les yeux du jeune furet se voilaient, sa respiration était rauque et pénible. Il était presque aux portes de la forêt des ténèbres quand la voix de Capucine lui parvint :

— Sibyl, oh mon Sibyl ! Tu m'as sauvée… Pourquoi ?

— Re… tourne à ton… abbaye… aurais jamais dû m'suivre… Va-t-en… Laisse-moi dor… mir !

Capucine le berça doucement, comme elle le faisait quand il était petit. Le jeune furet ferma les yeux.

Ainsi finirent le père et le fils : Sigrif le Vicieux, seigneur de la guerre, et Sibyl Sigrif, banni de Rougemuraille.

## Chapitre IX

Ils campèrent trois jours au bord de la rivière, au pied du puy aux Chauves-souris, profitant de l'hospitalité du seigneur Peaunoire et de ses sujets, le temps de panser leurs plaies et de reposer leurs membres fatigués. On leur apporta des fruits frais, des champignons tout blancs qui n'avaient jamais vu la lumière du jour, des crevettes de la grotte et toutes sortes de mets aussi délicats, tirés des profondeurs du curieux royaume caché dans la montagne.

Solaris ne cessait de faire répéter à Capucine et à Gontran tout ce qu'ils savaient au sujet de sa mère, Bella de Castelblairis, la grande femelle au front d'argent. Il s'émerveillait qu'elle vive encore et ne se lassait pas de prononcer son nom :

— Bella, Bella… il faut que je la voie. Je vais vous accompagner à Rougemuraille. Sabretache, tu prendras le commandement de Salamandastron pendant mon absence, avec le colonel Sanpeur. Sur le chemin du retour, cherche le corps de mon cher Cresserel et ramène-le à la montagne. Je veux qu'il soit enterré en haut d'un versant ensoleillé surplombant la mer. Duracuir et Félicie, vous nous accompagnerez jusqu'à l'abbaye de Rougemuraille.

— Mes éclaireurs vous guideront, guideront, leur lança le seigneur Peaunoire depuis l'entrée de la caverne. J'ai fait prévenir mes amis, amis. Le radeau des Picaillon vous attend à deux jours d'ici, d'ici. Allez en paix, en paix !

Suspendue comme un bouclier aux reflets dorés dans le ciel de velours sombre, la pleine lune regardait les amis prendre congé.

Ils empruntèrent un passage secret qui contournait la chute d'eau ; des myriades de chauves-souris voletaient en chuchotant :

— Bonne chance, chance. Au revoir, revoir.

Tandis qu'ils longeaient les rochers escarpés, à l'aube, Capucine se retourna vers le nuage de brouillard blanc surmonté d'un arc-en-ciel. Solaris l'aida à franchir un petit ruisseau.

— Vous pensez à quelque chose, petite demoiselle ?

La souricelle se pencha, laissant l'eau courir entre ses doigts.

— Oh oui, messire, je n'oublierai jamais la chute d'eau, aussi longtemps que je vivrai. C'était tellement beau, et tellement dangereux aussi. J'entendrai encore longtemps son bruit dans mes oreilles, la nuit.

Le terrain était facile et le temps clément, en cette fin d'été. Néanmoins, leurs blessures récentes leur imposaient une allure tranquille, encore ralentie par Solaris qui voulait ramasser partout des boutures et des jeunes plants. Gontran montra à Duracuir et à Félicie comment froncer le bout de leur nez et il les initia au jargon des taupes. Capucine avait du mal à se retenir de rire quand les deux lièvres et la petite taupe, mâchonnant des brins de paille, offraient au blaireau souverain les présents les plus loufoques tout en imitant le parler de braves paysans.

— Oh, oh, compèrre Sol-à-rrisque, c'est-y point un beau caillou que v'là, essayez-donc de l'planter, ça vous f'rra un beau buisson bien durr !

Solaris les prenait au mot, lançant la pierre en l'air et la faisant disparaître dans le ciel d'un puissant coup de massue.

— J'vous rr'merrcions bien, répliquait-il sur le même ton. Mais p't-êtrre que si l'caillou, y rreste collé dans l'ciel, y d'viendrra plutôt une belle étoile brrillante !

À l'aube du troisième jour, ils arrivèrent au point de division de la rivière et de son bras secondaire. Aussitôt, le campagnol Ilfril pointa le museau, toujours d'une humeur noire :

— Qui va là ? Propriété privée !

L'extrémité cloutée d'une immense massue s'abattit devant son terrier ; Ilfril se trouva nez à nez avec une énorme tête de blaireau zébrée d'or.

— Je suis Solaris le Formidable, blaireau souverain de Salamandastron, tonna l'apparition. Et j'adore le campagnol au petit déjeuner. Et toi, qui es-tu ?

On entendit des petites pattes gratter le sol avec frénésie tandis qu'Ilfril déguerpissait au fond de son terrier avec un glapissement nerveux :

— Euh... ha, ha ! Juste une pauv' bête qui vit ici. Je vous en prie, Sire, faites comme chez vous !

La petite compagnie s'installa en riant sur la berge, regardant le large radeau approcher lentement. Doudou Picaillon les héla joyeusement :

— Bienv'nue les amis, sautez à bord.

Le petit Clovis surgit de la cabane construite au milieu du radeau. Il fixa le blaireau avec des yeux ronds, puis hasarda :

— Ve peux fauter fur vot' ventre, m'fieur ?

— Et comment, mon gaillard, lui répondit Duracuir avec un clin d'œil, du moment que tu laisses le seigneur Solaris sauter sur le tien d'abord, hein ?

Clotilde apparut à son tour. Elle agita sévèrement la patte sous leur nez :

— Vous savez ce que ma maman va faire si elle vous prend à vous sauter sur l'estomac, tous les deux?

Gontran acquiesça en souriant :

— Oui-da, mam'zelle, elle va nous trransforr-mer en saucissons!

Dès qu'ils furent tous à bord, Doudou relança le radeau dans le courant, puis attacha la barre. On fit les présentations, et la joyeuse petite bande se retira dans la cabane pour fêter les retrouvailles autour d'un solide petit déjeuner.

Malgré l'odeur appétissante qui s'échappait du fourneau, lui mettant l'eau à la bouche, Doudou Picaillon se sentit obligé de prononcer un petit discours.

— Hum, hum! Mes chers amis, avant qu'mon épouse Mirette et moi-même, on vous serve à manger, laissez-moi vous renseigner sur not' périple. J'ai r'péré sur mes cartes un réseau de voies navigables, qui va nous conduire tout près de l'abbaye de Rougemuraille. Donc, vous inquié-tez pas, vous êtes dans de bonnes pattes. Et main-tenant, ma p'tite prune d'eau, montrons-leur à quoi r'ssemble un banquet flottant et…

Il allait continuer quand Mirette leva une louche menaçante :

— Nom d'une branchie! Y va pas nous pom-per jusqu'au dîner, l'vieux moulin à paroles?

Le brave hérisson s'enroula les pattes dans une serviette et commença à apporter les plats.

— Chaud devant, mes p'tits loups, faites-moi

d'la place pour ce clafoutis aux merises. Quelqu'un pourrait-il pousser cette cruche?

Les yeux des convives s'élargissaient au fur et à mesure que les plats couvraient la table.

— Écrevisses de la rivière à la nage de cresson!

— Fromage blanc à la sauge et ses glands!

— Émincé d'amandes et de châtaignes à la confiture de groseilles! J'me suis levé trois heures avant l'jour pour préparer tout ça.

Les deux bébés hérissons s'étaient installés sur les genoux de Solaris.

— Faut pas toucher à la nourriture avant qu'tout soit servi, l'avertit Clotilde. Sinon…

Le petit Clovis hocha la tête d'un air entendu.

— Oh oui, ma môman tranfforme même les blaireaux en faufiffon!

Le petit déjeuner s'éternisa jusqu'à midi sonné: il y avait tant à raconter. Clovis et Clotilde écoutaient leurs aînés bouche bée. Le soleil dardait ses rayons entre les nénuphars de la vaste prairie flottante, tandis que le radeau glissait sur l'eau tranquille. Ce fut, comme Capucine le résuma plus tard, « un bon moment célébrant les joies de la table et de l'amitié ».

L'abbesse Myriam profitait tranquillement du changement de saison. Les pattes enfoncées dans ses larges manches, elle glissait à travers la brume matinale dans laquelle le verger était plongé. Le temps de la récolte approchait; le rouge des pommes, virant de l'orangé au roux le plus brun, contrastait avec l'or doux des poires. Humides de rosée, les fruits de la vigne brillaient comme des joyaux.

Sans crier gare, Figarette, la petite taupe, surgit du cocon brumeux et se cogna dans l'abbesse. Myriam se rattrapa au tronc d'un châtaignier.

— Allons donc ! Que se passe-t-il ?

— Rr'garrdez, m'dame ! s'écria Figarette en brandissant une feuille morte avec excitation. Les feuilles d'viennent toutes marron !

L'abbesse Myriam sourit à la petite et lui caressa la tête.

— C'est ce qu'on appelle l'automne. Les feuilles deviennent comme ça parce que les arbres n'en ont pas besoin pour l'hiver. Tu vas bientôt participer à la récolte. Je me souviens que tu étais trop petite, l'automne dernier. Oui, sœur Oseraie te laissait dormir toute la journée, ou presque, sur un panier de pommes. Mais tu es assez grande maintenant. Viens, on doit nous attendre pour le petit déjeuner.

L'abbesse et la petite taupe s'enfoncèrent dans le brouillard, traversant les pelouses vers l'édifice central de l'abbaye.

Un soleil voilé commençait à apparaître quand Sumo, l'écureuil, heurta de son javelot la grande porte du mur d'enceinte. Il avait voyagé toute la nuit pour atteindre l'abbaye. Il frappa encore. Tandis qu'il faisait les cent pas sur la route avec impatience, la voix de Barnabé lui parvint :

— Qui va là ? C'est toi, Sumo ?

— Évidemment que c'est moi. Ouvre, l'ami !

Le petit archiviste écarta le battant pour laisser passer le solide écureuil. Il fit glisser sa patte sur la queue en panache du voyageur.

— Eh bien ! Regarde-toi : tu es trempé de rosée. Viens vite te sécher.

Sumo se contenta de s'ébrouer et s'éloigna à grandes enjambées vers le bâtiment principal.

— Pas le temps, camarade. J'ai des nouvelles pour l'abbesse !

La table du petit déjeuner n'était toujours pas débarrassée. Les serveurs lambinaient autour de la chaise de Myriam, fixant Sumo avec curiosité et prêtant l'oreille aux nouvelles. La mère abbesse se leva avec un regard glacial.

— Faites marcher vos pattes, plutôt que vos oreilles !

Les serveurs se remirent illico au travail, et Myriam demanda à Sumo de la suivre jusqu'à son bureau. Dès qu'ils eurent quitté le réfectoire, les habitants de Rougemuraille donnèrent libre cours à leurs interrogations.

— À ton avis, c'est quoi la nouvelle ?

— Et si c'était des rats qui viennent vers nous, ou ce genre de vermine ?

Creuse-en-chef s'adressa à tous par-dessus une nappe qu'il repliait en un rectangle parfait.

— Ben vrrai, en v'là des rragots ! J'supposions que votrre abbesse vous l'dirra, et pis c'est tout.

L'abbesse Myriam et Sumo restèrent enfermés une éternité, le temps que l'écureuil fasse le récit de leurs aventures, jusqu'à la victoire finale. Peu à peu, les habitants de l'abbaye quittaient leurs occupations et trouvaient une excuse pour se rendre au grand réfectoire, où ils allaient et venaient sans rien faire, avec un air faussement occupé.

Frère Jean et Myrtille, la hérissonne, arrivèrent des cuisines, suivis d'une cohorte de marmitons. Le frère frotta ses pattes pleines de farine et prit place sur la chaise de l'abbesse.

— Autant attendre bien assis. Allez, asseyez-vous tous, inutile de faire semblant d'être occupés. Je suis dévoré de curiosité, je l'ai toujours été d'ailleurs, c'est pas un secret.

À peine avait-il fini de parler que Myriam et Sumo firent leur entrée. Le frère bondit comme si une mouche l'avait piqué. S'écartant de la chaise abbatiale, il fit mine d'essuyer une tache sur la table avec le coin de son tablier enfariné.

L'abbesse serra la patte de Sumo avec chaleur, le visage exceptionnellement illuminé d'un large sourire.

— Merci de tout cœur, mon ami. Je suis sûre qu'il y a plein de bonnes choses à manger pour toi à la cuisine.

Le solide écureuil ne se le fit pas dire deux fois et fila joyeusement vers le domaine de frère Jean. L'abbesse épousseta la fine pellicule de farine sur son siège, s'assit, puis promena un long regard sur les visages attentifs autour d'elle avant de prendre la parole.

— Nous allons organiser un gigantesque festin pour demain midi. Les banquets de Rougemuraille sont réputés, mais je voudrais que celui-là soit vraiment légendaire !

Myrtille leva la patte, dans l'espoir d'en apprendre un peu plus.

— Euh… et nous serons combien ?

La réponse de l'abbesse les plongea dans un abîme de réflexion :

— Prévoyez deux fois plus que d'habitude.

Duramène, la vieille loutre, frappa le sol de sa canne.

— Mère abbesse, pouvez-vous enfin nous dire ce qui se passe ? Qui attendons-nous ? Pourquoi un banquet légendaire ? Expliquez-vous !

Un tonnerre d'approbations roula dans l'immense salle.

L'abbesse leva les pattes d'un geste apaisant ; le silence retomba.

— S'il vous plaît, mes amis, vous avez l'impression que je m'amuse à vous faire languir, mais croyez-moi, il n'en est rien. Voici ce que je peux vous dire : nous allons recevoir des amis demain, certains déjà connus de nous, d'autres pas. Si je ne vous en dis pas plus, c'est que la rumeur se répand vite et que je ne voudrais pas gâcher la surprise de quelqu'un de très cher, dont je dois taire le nom pour l'instant. Aussi fais-je appel à votre conscience de membres de Rougemuraille : retournez à vos occupations, calmement et en silence, et vous serez récompensés par un événement sans précédent, la visite d'un être exceptionnel à l'abbaye. Ne m'en veuillez pas, mais je n'en dirai pas plus aujourd'hui.

Sœur Oseraie frappa si fort sur la table que tout le monde sursauta.

— Et ça ira très bien ! Votre parole me suffit, mère abbesse, et je suis sûre qu'il en va de même pour tous les habitants de l'abbaye !

Chacun s'empressa d'acquiescer.

— Ouais, motus et bouche cousue !

— Pas un mot de plus, m'dame, la parole est d'argent mais le silence est d'or !

— Hé ! Qu'est-ce qu'on fait plantés là comme des saucisses ? Allez, les amis, action !

Ce jour-là et la nuit suivante, Rougemuraille se transforma en une véritable ruche. Les jardiniers entraient en chancelant sous le poids de masses de fleurs, qu'ils apportaient aux souris et aux taupes chargées de la décoration des tables. Les loutres réalisaient des prouesses, aux côtés des écureuils, pour suspendre lanternes, banderoles, guirlandes fleuries et fanions aux murs ou autour des hautes fenêtres. Des nappes blanches impeccablement repassées étaient déployées et aérées, tandis que les brodeuses mettaient la dernière main aux serviettes et aux napperons. Des nattes de jonc à la teinture neuve étaient étalées sur les dalles, qu'on avait balayées deux fois. Des bougies de cire d'abeille étaient piquées sur les chandeliers.

Juché sur une caisse, frère Jean dirigeait les opérations aux cuisines. Rien n'échappait à son œil exercé tandis qu'il lançait des ordres de sa voix haut perchée :

— Apportez encore du bois, les fours ne sont pas assez chauds !

Les marmitons l'interpellaient à leur tour :

— Faut-il plus de merises et d'amandes pour les cakes ?

— Au moins deux bols de plus, y a rien de pire que de lésiner sur les fruits pour un cake. Hé, les taupes ! Sortez-moi donc ce petit de la grande jatte, là, avant d'en verser le contenu dans votre tourte patates-navets-betteraves. Je ne veux pas de bébé taupe cuit dans la pâte !

— Ho, ho, ho ! C'est point grrave, messirrre, y s'rra chauffé-nourrri du même coup, pourr sûrr !

— Allez, sorrs de là, Pépin, et arrête un peu d'te goinfrrer !

— Voilà des écrevisses et des champignons frais, frère, apportés par les jumeaux loutres. Je les mets où ?

— Ah ! Donne-les à Duramène et dis-lui de pousser ce poivre frais de mes petits pains !

— Je t'ai entendu, Jean, le poivre n'a jamais touché à tes petits pains. Mais dis à cet écureuil de garer son miel de ma soupe !

— Pinceau, tu as entendu Duramène ? Fais

attention à ton miel. Mets-en plein dans la pâte aux petits pains. Oh, bravo ! Quelle superbe décoration, rien ne vaut un quadrillage de pâte pour mettre en valeur une tarte aux mûres. Ouvrez les fours, le pain est cuit, je le sens à son odeur !

— Chef, vous voulez bien dire à frère Ambroise que la crème doit former des volutes sur le diplomate, pas des pâtés !

— Oh, pas d'histoires, faites des volutes avec des petits points au milieu, ça ira. Hé, ne coupez pas les marrons glacés aussi fins ! J'aime voir les fruits confits dépasser largement du gâteau, le glaçage de sirop d'érable est plus solide, comme ça.

Des tonneaux arrivaient de la cave, poussés par des moines de joyeuse humeur faisant de leur mieux pour éviter leurs frères qui roulaient d'énormes fromages en provenance du garde-manger. On dressa des tréteaux pour recevoir les barriques de bière brassée à l'automne précédent, on remplit les cruches de jus de fruits, de mousseux et de cordial, puis on les disposa sur les chariots de service. Les rebords des fenêtres débordaient de petits pains, de cakes et de grosses miches, qu'on avait mis là à refroidir. Les petits guettaient l'ouverture des seaux de fruits et de noix candis, trempant leurs pattes dans le sirop épais qui dégoulinait sur les tables. Sans arrêt, des membres de l'abbaye se croisaient dans les escaliers, les uns descendant travailler, les autres montant se reposer quelques heures dans les dortoirs, leur service terminé. L'activité se poursuivit toute la nuit, ne cessant que deux heures après le jour.

Le radeau était mouillé dans une crique surnommée la baie des Forestiers. Une délégation de loutres et d'écureuils, menée par Jonas et Alezane, était venue accueillir ses passagers. Les guerriers qui avaient chassé Sigrif de la route de Rougemuraille formaient une haie d'honneur sur la berge. Leurs lances et leurs arcs décorés de fanions de couleurs vives, ils regardaient, remplis d'admiration, Solaris le Formidable débarquer. Le seigneur de Salamandastron portait un manteau rouge sur une tunique écrue serrée d'une large ceinture verte. C'était un blaireau souverain jusqu'au bout des griffes, depuis sa puissante tête zébrée d'or, qui dominait même les longues oreilles des deux lièvres de son escorte, jusqu'à la redoutable massue qu'il balançait dans ses énormes pattes couvertes de cicatrices. Dès que tout le monde fut rassemblé sur la berge, Alezane fit signe à Jonas. Le capitaine des loutres lui prêta l'oreille un instant, puis hocha la tête.

— Parfait, gente dame, à toi l'honneur !

Alezane s'inclina profondément devant Solaris.

— Sire, si vous pouvez avoir l'obligeance, on attend des camarades qui ont fait un long chemin pour vous voir. Vous voulez bien patienter un peu ? Ils ne vont pas tarder.

La voix inimitable de Jody, le lièvre-écureuil, retentit derrière un bosquet de frênes, un peu plus bas.

— Par ici, mes gaillards. Doucement, n'est-ce-pas. Ah, les voilà!

Le grand lièvre dégingandé parut, à la tête d'une petite troupe.

— Ohé! Seigneur Solaris, bien le bonjour chef! Une chouette du nom de Forestia a dit à ces braves gens que vous alliez passer par là; ils ont tenu à faire le voyage depuis leur grotte pour vous accompagner!

Solaris lâcha sa massue et se précipita à leur rencontre.

— Timi Piquant! Tarin Miraud! Ormon! Oh, mes bons amis! Et Mimi! Et Nénette! Comme les petits ont grandi!

Les deux taupes et les quatre hérissons adolescents couinaient de plaisir, menaçant de faire tomber le blaireau tant ils lui serraient fort les jambes et les pieds.

Solaris étreignit les vieilles taupes.

— Oncle Blair et tante Narine! Vous êtes aussi fringants que de jeunes bourdons!

Pendant que le blaireau souverain accueillait ses amis, Jody tortillait des oreilles à l'intention de Félicie. Il plongea dans une profonde révérence, de toute évidence sous le charme de la jeune et jolie hase.

— Dites-moi, d'où sortez-vous, gente demoiselle? Vous pouvez m'appeler Jody, comme tout le monde. Euh… à moins que vous ne vouliez connaître mon vrai nom?

Alezane regarda Félicie et secoua la tête en signe de dénégation.

— Si j'étais vous, j'dirais non, mam'zelle.

Félicie sourit avec coquetterie à Jody :

— Je suppose que j'aurai l'occasion d'entendre votre vrai nom bientôt, n'est-ce pas !

Son ami Duracuir, plus âgé qu'elle, était un célibataire endurci. Il cligna de l'œil à Jonas. Le capitaine des loutres pouffa.

— Attends qu'elle le voie jeter un sort aux vivres. Y a de quoi dégoûter de plus endurcies qu'elle, mon pote !

Sur ce, la grande loutre se mit à houspiller tout le monde.

— Allez, en route, matelots, on n'va pas coucher là, l'abbaye est encore loin !

Mimi Piquant et Nénette Miraud arrachèrent Solaris à leurs jeunes, qui grouillaient sur lui comme des fourmis.

— Béné, Cath, Tim et Théo ! lança Mimi. Laissez donc sa pauvre seigneurie tranquille, vous allez l'user avant l'âge !

Nénette appela ses deux filles :

— Lili ! Lulu ! V'nez donc parr ici ! Montrrez au messirrre blairreau c'qu'on a apporrté pourr Cresserrel.

Elle sortit un petit fromage à pâte claire de son tablier et le tendit aux deux jeunes taupes, qui l'apportèrent à Solaris. Le blaireau souverain l'accepta en secouant tristement la tête.

— Venez, mes amis. Mettons-nous en route pour l'abbaye de Rougemuraille. J'ai une terrible nouvelle à vous annoncer.

## Chapitre X

Quelle ne fut pas la surprise de l'abbesse Myriam et de sœur Oseraie lorsqu'elles pénétrèrent dans la chambre de Bella au matin du jour où les visiteurs étaient attendus. Nul n'avait parlé à la vieille femelle au front d'argent des festivités à venir, elles en étaient certaines. Et pourtant, elle les attendait debout, sa fourrure argentée soigneusement lustrée luisant à la lumière, revêtue d'un superbe manteau de drap à la pourpre claire, une couronne de giroflées et de boutons de roses blanches sur la tête.

Instinctivement, Myriam s'inclina devant la vieille femelle majestueuse.

— Bella, vous êtes magnifique ! s'écria-t-elle.

La vieillarde ramassa la canne au pommeau d'argent ciselé dont elle se servait pour marcher.

— Merci, Myriam, j'ai pensé que je devais paraître au mieux de ma forme le jour où j'allais rencontrer mon fils, le blaireau souverain.

— Mmmais… bredouilla Myriam, interloquée, comment avez-vous su ? Qui vous l'a dit ? Personne, pourtant…

Bella s'assit dans son fauteuil et agita sa canne.

— Bien avant que tu n'apprennes l'arrivée de mon fils, Myriam, j'en ai été avertie en rêve.

L'abbesse hocha la tête d'un air entendu.

— Ah oui, par vos ancêtres, sûrement.

Bella leur fit signe d'approcher.

— Asseyez-vous, toutes les deux, j'ai quelque chose à vous dire. Ce n'est pas un blaireau de ma famille, mort depuis des lustres, qui m'est apparu. Non. C'est quelqu'un que j'ai bien connu autrefois. Martin le Guerrier, héros de Rougemuraille et fondateur de cette abbaye.

La réserve habituelle de l'abbesse l'abandonna.

— Martin, notre grand guerrier ! Il vous a parlé ?

Bella ferma les yeux, un sourire béat aux lèvres.

— Oui, je le vois en ce moment même. Son message ne s'adressait pas qu'à moi, mais à tous les habitants de l'abbaye. Écoutez bien. Je dormais, là, dans mon fauteuil, il y a quelques lunes de cela, quand il m'est apparu. Il était revêtu de son armure et portait sa grande épée à la patte. Il m'a parlé de mon fils, m'a dit qu'il vaincrait le seigneur de la guerre Sigrif, et aussi qu'il perdrait son ami Cresserel, le faucon. Enfin, il a ajouté que Solaris viendrait à l'abbaye quand les feuilles commenceraient à virer au brun et que je vivrais assez longtemps pour le voir. Grâce à lui, je me suis sentie pleine de joie; une paix comme je n'en avais jamais connu est descendue sur moi. Puis Martin m'a laissé un message à vous transmettre...

Les deux souris écoutèrent la suite, transportées :

*Braves résidants de ces vieux murs,*
*Restez loyaux, honnêtes et vrais,*
*Mon esprit veille aux temps durs,*
*De mes conseils vous soutiendrai.*
*Par-delà les saisons, je serai là,*
*Ne craignez rien, mal ou conflits,*
*Le Guerrier toujours vos proches protégera,*
*À mes amis de Rougemuraille... longue vie!*

Le doux soleil du matin se déversait à flots par la fenêtre, enveloppant Bella d'un halo de lumière.

Myriam parla, d'une voix assourdie par l'émotion :

— Martin le Guerrier est l'esprit de la paix et du courage; jamais notre abbaye ne courra aucun danger, avec un tel héros pour guide.

Bella rompit le charme en tendant ses deux pattes à ses amies :

— Allez, les deux jeunettes, aidez-moi à me

relever. Il faut nous contenter d'un petit déjeuner léger ce matin, en prévision du festin à venir. Ils seront là à midi.

Quelques heures plus tard, tout était prêt. Bella et l'abbesse avaient solennellement proclamé la fin des préparatifs et salué les efforts accomplis. Les trois membres les plus récents de l'abbaye, le vieux Nono et ses petits loirs, Honorine et Nono junior, menèrent la procession jusqu'au sommet des fortifications. Des guirlandes de fleurs et de vigne drapaient les remparts ouest et nord, les bannières et les fanions flottaient au vent. Tous s'étaient soigneusement brossés, peignés, et avaient revêtu leurs plus beaux atours. Sumo, l'écureuil, perché à l'angle nord-ouest du chemin de ronde, scrutait la route et les bois de ses yeux perçants, à l'affût du moindre bruit annonçant l'arrivée des visiteurs. La joie et la gaieté régnaient.

Même l'abbesse Myriam avait du mal à conserver sa sérénité habituelle.

— Il est bientôt midi, Barnabé. J'espère qu'ils ne vont pas tarder. Sumo, est-ce que vous entendez quelque chose ? Vous ne voyez rien ?

Figarette, la petite taupe, tira l'abbesse par la manche :

— Z'allez vous fairre grronder à poser trrop d'questions, m'dame, méfiez-vous, votrre mèrre blaireau va vous envoyer au lit sans dîner, pourr sûrr !

Bella jeta un regard faussement sévère à son amie.

— Elle a raison, Myriam, la taquina-t-elle. Encore un mot et tu montes dans ta chambre, privée de dessert! Ils seront là quand ils seront là, pas avant. N'est-ce pas, frère Jean?

— Ça, c'est parlé, dame Bella. Comme je dis toujours : la pomme est mûre quand elle est prête, la poire est prête quand elle est mûre, et ce qui doit arriver arrive, ou c'est que ça n'arrivera jamais!

Duramène leva les yeux au ciel.

— Eh bien, je suis drôlement contente de l'apprendre, c'est déjà ça!

— Pschitt! Laissez-moi écouter! Vous autres, un peu de calme!

Sumo porta la patte à son oreille et, s'accrochant de la queue au pignon d'angle, se pencha dans le vide, du côté nord. Le silence retomba sur l'assistance; chacun tendit l'oreille.

Myrtille, la hérissonne, toussa; tout le monde se retourna vers elle, la foudroyant du regard.

Puis Sumo agita la patte avec frénésie en direction de Barnabé.

— Ouvre les portes, vite! Ce sont eux, je les entends!

Jonas sortit du bois à la tête de la colonne et s'engagea sur la route de l'abbaye. Il pointa son javelot.

— Voilà les toits de Rougemuraille, les copains. On va voir s'ils peuvent nous entendre. Tout le monde connaît *Le Retour au pays?*

Il n'y avait pas un soldat qui n'eût déjà

entendu ou chanté la vieille chanson de marche. Tous l'entonnèrent donc de bon cœur.

Bella serra la patte de Sumo comme dans un étau.

— Est-ce que tu vois mon fils? Où est Solaris?

Le robuste écureuil tendit la patte en secouant la tête d'admiration :

— Je le vois comme si j'y étais, madame! Il marche à grandes enjambées devant et ils trottinent après lui pour le rattraper. On dirait un chêne au milieu de fougères! Ah, heureux que nous sommes! Maintenant, je sais ce qu'est un blaireau souverain.

L'abbesse, Sumo et le vieux Nono restèrent auprès de Bella pour l'aider, tandis que les autres se précipitaient bruyamment dans les escaliers jusqu'à la porte. Puis ils attendirent sur la route l'arrivée de la vieille femelle, sachant que c'était le plus beau jour de sa vie. Lorsqu'elle franchit le seuil, s'apprêtant à ouvrir la marche, une ovation l'accueillit. Bella se retourna et leur sourit :

— Eh bien, mes amis, voulez-vous entendre le cri de guerre d'un blaireau souverain? À mon signal, hurlez le mot « Ioulalie », en faisant durer les *i*. Vous êtes prêts? Trois, quatre :

— Iiiiioulaliiiiie!

Solaris fit tournoyer sa massue au-dessus de sa tête; aspirant puissamment l'air dans sa poitrine caverneuse, il poussa à son tour le cri de guerre des blaireaux :

— Iiiiiioulaliiiiie!

Creuse-en-chef se boucha les oreilles.

— Vingt dieux, on dirrrait un coup d'ton-
nerrre avant l'orrage! Rr'garrdez, le v'là qu'arrrive!

Solaris venait d'apercevoir le blaireau au pelage
d'argent à la tête du groupe qui marchait à leur
rencontre. Ce ne pouvait être que sa mère, la
vieille Bella. Passant sa massue à Jonas, il se mit à
courir sous les acclamations des deux groupes, ses
pattes martelant bruyamment le sol au milieu
d'un nuage de poussière.

Le grand blaireau pila, puis franchit lentement les
trois derniers mètres. Là, devant lui, se trouvait la
douce et vieille figure qu'il avait vue en rêve. Dans le
silence qui suivit, on entendit seulement trois mots :

— Mère.

— Mon fils.

Ainsi Solaris le Formidable, seigneur de
Salamandastron, arriva-t-il à Rougemuraille et
retrouva-t-il sa mère, Bella de Castelblairis.

Le lendemain à la même heure, la fête battait
toujours son plein, sans donner de signe de
défaillance.

Capucine s'était installée au verger, sous son
pommier préféré, avec l'abbesse Myriam et
Barnabé. L'archiviste de Rougemuraille avait
apporté ses plumes et ses parchemins pour noter
le récit de la souricelle. Celle-ci raconta franche-
ment son histoire, sans écarter aucun détail.

L'abbesse Myriam l'écouta en silence jusqu'à la
fin ; puis son regard calme et doux croisa celui de
la souricelle.

— Eh bien, nous nous sommes trompées, Bella et moi ; il y avait quelque chose de bon en Sybil, et cela lui a coûté la vie de le démontrer. Acceptes-tu mes excuses, Capucine ?

La souricelle baisa la patte de son abbesse avec respect.

— Vous n'avez pas à vous excuser. Sybil était mauvais, je le sais maintenant. Bella avait raison. Certains êtres ne peuvent s'empêcher de mal agir. De toute sa vie, jamais Sybil n'a fait preuve de gentillesse envers personne. J'ai beaucoup réfléchi depuis sa mort ; je me demande s'il m'aurait sauvée s'il avait su que son père allait vraiment lancer ce javelot. Je ne pouvais m'empêcher de l'aimer, c'est ma nature, mais je sais qu'il fait meilleur vivre sur terre sans un Sibyl ou un Sigrif pour semer le malheur et la mort.

Myriam échangea un regard entendu avec Barnabé avant de répondre :

— Tu as mûri, Capucine. Je n'ai jamais douté de ton courage et de ta compassion, mais tu nous reviens plus sage et plus raisonnable, bien plus mature que je ne l'étais moi-même à ton âge. Qu'en penses-tu, Barnabé ?

L'archiviste finit de rouler ses parchemins.

— Je pense que d'ici à quelques saisons, Rougemuraille saura où trouver une bonne mère abbesse. C'est-à-dire, ma mère, quand vous serez prête à passer la patte, bien sûr.

Myriam passa le bras autour des épaules de Capucine.

— Je n'imagine pas meilleure dauphine, en effet.

Capucine n'en croyait pas ses oreilles.

— Moi, mère abbesse de Rougemuraille ?

— De la même façon que Gontran deviendra un jour Creuse-en-chef. Vous avez tous deux gagné le respect et l'admiration de vos aînés.

Myrtille poussait un lourd chariot couvert de fromages, de crudités et de pains au lait fumants en direction des tables dressées dans le grand réfectoire. La plupart des convives étaient partis se reposer, ou bien jouaient avec les petits, mais le noyau dur des ripailleurs demeurait.

— Z'avez toujours pas fini ? maugréa la hérissonne.

Duracuir lui sourit d'un air engageant :

— Pas tant qu'il reste des victuailles aussi somptueuses sur les plateaux !

Myrtille soupira, puis s'assit avec eux.

— Alors, je f'rais aussi bien de me joindre à vous. Passez-moi le thé à la menthe, siouplaît.

Doudou Picaillon poussa la théière avec obligeance dans sa direction.

— Thé à la menthe pour vous, cousine aux joues rondes. J'en viens presque à r'gretter d'pas vivre sur l'plancher des taupes, tellement y fait bon dîner dans c'te merveilleuse abbaye. Pas toi, mon p'tit pied-d'alouette ?

Mirette Picaillon leva les yeux de son écuelle de crumble aux framboises :

— Nom d'un filon ! C'est bien agréable, mais on vit sur l'eau d'puis trop longtemps pour changer nos habitudes.

Alezane rompit la croûte d'un petit pâté, laissant la sauce se répandre dans son écuelle.

— Et toi, grandes guibolles, tu penses à changer de vie ?

Jody se coupa une tranche de cake, la figure fendue d'un large sourire idiot tandis qu'il tortillait des oreilles vers Félicie.

— Pardon ? Euh… ah oui, plutôt ! J'préfère mille fois être un lieuil qu'un écurièvre.

Félicie pouffa.

— Tu veux dire, un lièvre qu'un écureuil, espèce de grand ballot ! Quelle idée de se faire appeler le lièvre-écureuil, quel surnom stupide.

Jody engloutit sa part de cake d'un air pensif.

— Mmm, peut-être. Mais ce qui compte, n'est-ce pas, c'est le vrai nom de la personne. Au fait, Félicie, t'ai-je jamais dit mon vrai nom ? Je m'appelle Wilfried de la Brouette Lestuaire Toxophile Hidelric Fr…

Le rire joyeux des convives, jeunes et vieux, s'éleva au-dessus des pelouses inondées de soleil de l'abbaye, se mêlant au chant des alouettes dans la douce chaleur automnale de l'après-midi.

## Épilogue

Le jeune Lourdaud fronça le bout du nez d'un air interrogateur.

— C'est la fin de l'histoire ? demanda-t-il au vieux Jédeau. Oh, crottes de rat ! J'aurais voulu qu'elle dure toujours !

Jédeau le Vagabond se releva, puis s'étira, prenant appui sur sa large queue-gouvernail.

— Eh bien, jeune joufflu, si tu veux une autre histoire, raconte-la toi-même.

La hase apporta du sirop de marguerite ainsi qu'un gâteau aux prunes. Comme les levrauts, elle avait écouté l'histoire, envoûtée, ne s'absentant que de temps en temps pour aller chercher à manger. Plaçant le gâteau et la boisson devant la vieille loutre, elle l'interrogea à son tour :

— Que sont devenus Jody et Félicie ?

— Ils se sont mariés et sont restés à Rougemuraille. Duracuir, lui, a préféré retourner à Salamandastron, avec Solaris. Mais seulement bien des saisons plus tard, après que la vieille Bella se fut retirée dans la forêt des ténèbres. Solaris n'a pas voulu quitter l'abbaye tant que sa mère était en vie. Elle est partie en paix, heureuse, ayant largement dépassé son temps. À ce qu'on dit, jamais blaireau n'a vécu aussi vieux que Bella.

— Et Capucine, elle est devenue abbesse ?

— Oui, quand Myriam a pris sa retraite et lui a transmis sa charge. Gontran est devenu Creuse-en-chef, aussi. Et maintenant, je peux m'occuper de ces victuailles ou est-ce que vous allez continuer à me bombarder de questions ?

— Juste une dernière. C'est vrai que Solaris a renoncé à se battre quand il est revenu à la montagne ? J'ai entendu des vieux dire ça.

— Non, il est toujours resté prêt à défendre la côte contre les rats de mer et ce genre de vermine. Mais il n'était plus le Formidable que pour ses ennemis. Ici, à Salamandastron, on l'appelait plutôt le Lumineux. C'est lui qui a transformé les flancs de la montagne en terrasses fertiles et harmonieuses. Il adorait travailler la terre. Avec le temps, il a acccumulé tant de connaissances qu'on venait de loin pour lui demander conseil. Il a aussi été le premier blaireau souverain à écrire de la poésie, un passe-temps plutôt inattendu pour un combattant autrefois possédé du terrible instinct guerrier de ses ancêtres. Venez, je vais vous montrer quelque chose.

Suivis par les levrauts, dévorés de curiosité, Jédeau et la hase s'élevèrent le long d'un chemin rocailleux bordant un jardin suspendu. La vieille loutre s'arrêta devant un siège taillé dans la pierre.

— Rares sont ceux qui ont pu voir ça. C'est un vieux blaireau souverain, venu après Solaris, qui l'a montré à mes ancêtres. Là, regardez.

Le siège était fait de deux dalles plates disposées l'une sur l'autre. Jédeau souleva la première, révélant de superbes lettres gravées dans la pierre du dessous, dans l'écriture des blaireaux.

*Souvent mon regard se perd au-delà des eaux,*
*Quand les neiges de l'hiver cèdent au printemps,*
*Seul, parmi les ifs et les ormeaux,*
*De notre temps enfui il me souvient.*
*Ton esprit plane sur les monts,*
*Jamais plus fidèle ami n'ai connu,*
*À mon épaule, Cresserel, ô mon faucon,*
*Toi que je ne verrai jamais plus !*
*Le cœur lourd, je reste seul,*
*Seigneur et maître de Salamandastron,*
*Rêvant seulement d'une feuille pliée,*
*Pour te ramener d'un coup de sifflet.*

Le vieux Jédeau se pencha, appuyé sur son bâton de marche, pour observer les levrauts occupés à déchiffrer le poème gravé dans la pierre.

— Mmm, Salamandastron a prospéré sous son règne. Et ça ferait pas de mal à ces jeunes de suivre son exemple.

Lourdaud leva les yeux.

— Ça fait des lustres qu'y a plus d'blaireaux souverains, m'sieur. En tout cas, moi, j'en ai jamais vu de ma vie.

Jédeau sourit puis, entourant de son bras les épaules du jeune lièvre :

— Jamais de ta vie ? Ça doit faire un sacré bout de temps alors !

Le levraut leva un regard plein d'espoir sur le vieux conteur.

— Vous croyez qu'un blaireau viendra un jour à Salamandastron ?

— Cette montagne ne reste jamais longtemps sans blaireau souverain, répliqua Jédeau en asseyant le jeune sur le siège de pierre. Leur instinct guerrier semble les attirer de loin. Viens t'asseoir ici chaque jour et regarde la plage en bas. Un jour, tu verras l'un d'entre eux s'avancer vers toi de son pas lourd. Grandissez tous en force et en sagesse, et servez ce blaireau de tout votre cœur. C'est le devoir des lièvres de Salamandastron.

Serrant son manteau autour de lui, Jédeau le Vagabond frappa le sol de son bâton de frêne et se mit en marche.

— Adieu, mes amis. Merci pour votre hospitalité, mais la route est longue et les grands espaces m'appellent.

Alors qu'il s'engageait lentement dans la pente, la hase lui cria :

— Attendez-moi en bas sur le rivage, je vais vous apporter un sac de provisions !

Jédeau agita son bâton en signe de reconnaissance.

Se rappelant soudain de leurs bonnes

manières, Lourdaud et ses copains se précipitèrent pour aider la vieille loutre dans la descente.

— Vous gênez pas, m'sieur, appuyez-vous sur moi!

— Et vous allez où, comme ça ?

Jédeau cligna de l'œil à la jolie petite hase qui lui avait posé la question :

— Comment, mais à Rougemuraille, bien sûr! Il va me falloir plusieurs saisons pour traîner ma vieille carcasse jusque là, mais le destin a toujours placé des amis sur ma route. N'ayez crainte, j'y serai à l'automne prochain. C'est un endroit plutôt agréable à l'époque de la récolte, et la porte y est toujours ouverte pour les amis. Un jour peut-être, vous irez là-bas vous aussi. Je suis sûr qu'ils vous accueilleront à bras ouverts.

Debout sur la plage, la hase et les levrauts regardèrent la silhouette de Jédeau le Vagabond diminuer en direction de l'est, dans la lumière dorée de l'après-midi.

Lourdaud leva la patte.

— Lançons au papy un bon cri de guerre, pour la route!

Rejetant la tête en arrière, ils poussèrent le vieux cri de ralliement de Salamandastron :

— Iiiiioulaliiiiie!

# L'auteur

*Brian Jacques est né et a grandi à Liverpool, en Grande-Bretagne. À quinze ans, il prend la mer et parcourt le monde. Ce passionné sera docker, chanteur de folk, figurant, conducteur de poids lourds, comédien, auteur de pièces de théâtre, poète, présentateur à la BBC d'un* one-man show *radiophonique, puis, enfin, en 1986, auteur du premier volume de Rougemuraille !*

*Brian Jacques reçoit des centaines de lettres de lecteurs touchés par ses talents de conteur et la magie du monde qu'il a créé.*

*Une de ses plus belles réponses est de continuer à écrire…*